失われた「文学」を求めて

文芸時評編

仲俣暁生

つかだま書房

目次

はじめに　文学（へ）のリハビリテーション――9

文芸時評――失われた「文学」を求めて――15

政治を語る言葉を失った日本の小説――17
――村田沙耶香『コンビニ人間』｜崔実『ジニのパズル』

単なる政権批判や反原発小説ではなく――24
――黒川創『岩場の上から』

「ゾンビ」ではなく「武者」を！――31
――古川日出男 訳『平家物語』｜羽田圭介『コンテクスト・オブ・ザ・デッド』

孤軍奮闘で書き継いだ「新しい政治小説」――39
――星野智幸『星野智幸コレクション』全四巻

「読む人」「書く人」「作る人」のトライアングル――46
――長谷川郁夫『編集者　漱石』――渡部直己『日本批評大全』
現代におけるフォークロア――54
――村上春樹『騎士団長殺し』
ポストモダンの行き止まりとしての「ド文学」――61
――又吉直樹『劇場』
「中核市のリアリズム」が出会った王朝物語――68
――佐藤正午『月の満ち欠け』
日本を迂回して世界文学へ――75
――東山彰良『僕が殺した人と僕を殺した人』
「震災後」の現代文学の見取り図――82
――限界研 編『東日本大震災後文学論』――「文藝」二〇一七年・秋季号
自分自身の場所を確保せよ――89
――レベッカ・ソルニット『ウォークス――歩くことの精神史』
迎撃に失敗した昭和・平成の男たち――96
――橋本治『草薙の剣』
現代文学の次の「特異点」とは？――103
――上田岳弘『キュー』

「パラフィクション」と「ハード純文学」の間に――110
――佐々木敦『筒井康隆入門』――小谷野敦『純文学とは何か』
プロテスタンティズムの精神――117
――松家仁之『光の犬』
ポストモダニストの「偽装転向宣言」か？――124
――いとうせいこう『小説禁止令に賛同する』
行き場を失った者たちが語る絶望の物語――131
――星野智幸『焰』
文芸が存在するかぎり終わることはない戦い――138
――古川日出男『ミライミライ』
現代中国のスペキュレイティブ・フィクション――146
――ケン・リュウ編『折りたたみ北京――現代中国ＳＦアンソロジー』
不可視の難民たちと連帯するために――153
――カロリン・エムケ『憎しみに抗って――不純なものへの賛歌』
――多和田葉子『地球にちりばめられて』
小説にとっての勇気とフェアネス――161
――古谷田奈月『無限の玄』
「震災（後）文学」という枠組みの崩壊――168
――北条裕子『美しい顔』

批評が成り立つ場としての「うたげ」―― 176
――三浦雅士『孤独の発明――または言語の政治学』
マンガによる「漫画世代」への鎮魂 ―― 183
――山本直樹『レッド　1969～1972』
「政治と文学」はいま、いかに語りうるか ―― 190
――赤坂真理『箱の中の天皇』
「想像力」よりも「小説的思考力」を ―― 197
――「新潮」二〇一八年一二月号・特集「差別と想像力」
ポスト冷戦時代に育った世代の想像力 ―― 205
――ミロスラフ・ペンコフ『西欧の東』
韓国にとっての「戦後」―― 212
――ハン・ガン『すべての、白いものたちの』
批評家が実作に手を染める時代とは ―― 219
――陣野俊史『泥海』
新自由主義からの生還と再起 ―― 226
――マーク・フィッシャー『資本主義リアリズム――「この道しかない」のか？』
――絲山秋子『夢も見ずに眠った。』
元号や天皇(制)の無意味を語るために ―― 233
――「文藝」二〇一九年夏季号　古谷田奈月『神前酔狂宴』

「改元の後、改元の前」に芥川の幽霊が語ること——240
——デイヴィッド・ピース『Xと云う患者——龍之介幻想』
空疎な「日本語文学」論から遠く離れて——247
——リービ英雄『バイリンガル・エキサイトメント』
中国大河SFは人類滅亡と革命の夢を見る——254
——劉慈欣『三体』
没後二〇年、「妖刀」は甦ったか？——261
——平山周吉『江藤淳は甦える』
神町トリロジーの「意外」ではない結末——268
——阿部和重『Orga(ni)sm』
タブーなき世界に「愛」は可能か——275
——ミシェル・ウエルベック『セロトニン』
森の「林冠」は人類の精神をも解放する——282
——リチャード・パワーズ『オーバーストーリー』
寡作な天才SF作家、一七年ぶりの新作——289
——テッド・チャン『息吹』
受け手のないところに打たれたノックを拾う——296
——加藤典洋『大きな字で書くこと』

友の魂に呼びかける言葉——崔実『pray human』 303
「当事者研究」が投げかける問い——長島有里枝『「僕ら」の「女の子写真」から　わたしたちのガーリーフォトへ』 310
政治と文学の乖離を示すシミュレーション小説——李龍徳『あなたが私を竹槍で突き殺す前に』 317
「コロナ後文学」はまだ早い——パオロ・ジョルダーノ『コロナの時代の僕ら』——テジュ・コール『苦悩の街』 324
国を失ったH・i・r・u・k・oたちが〈産み〉だすもの——多和田葉子『星に仄めかされて』 331

あとがき—— 339

ブックデザイン——ミルキィ・イソベ（ステュディオ・パラボリカ）
本文付物レイアウト——安倍晴美（ステュディオ・パラボリカ）
本文DTP——加藤保久（フリントヒル）

はじめに　文学（へ）のリハビリテーション

二〇一六年の秋から二〇二〇年の初夏にかけて毎月、文芸時評を書いていた。本書は四五本にわたるその文章を、時系列に沿って再録したものである。

この時評は連載時、〈文学へのリハビリテーション〉と題されていた。なぜ〈リハビリテーション〉なのか。なぜ〈文学へ〉なのか。まずそれを語るべきだろう。

二〇〇〇年代の最初の一〇年（いわゆる「ゼロ年代」）のあいだ、同時代の小説を読み、それについて文章を書くことは、私にとって必然性のある営みだった。グローバリゼーションや情報化／工学化の進展、中東諸国やアフガニスタンでの戦火と、それらに対する報復として欧米で相次いだテロといったこの時代の徴《しるし》は、日本の同時代の小説にも鮮明に刻印されているように思えたし、もちろん、それらに対する根強い抵抗も見てとれた。小説を読む行為は痛切であると同時にリアルであり、時に愉快だった。

いま思えば、同時代の小説に対する私の共感と理解の土台は、一九九〇年代以後に相次いでデビューした、自分とほぼ同世代の作家たちが、それぞれに個性的な作風を確立していったことだった。彼ら彼女らの小説に励まされ、私はこの時代に文芸評論集を三冊書いた。

同時代の小説との安定した関係が崩れたのは——私以外の者にとっても、そうだったかもしれない――二〇一一年の東日本大震災によってである。小説をそれまでのようには素朴に読めなくなり、ノンフィクションを読む日々がしばらく続いた。ありていに言えば、小説といったいどのような関係を切り結んだらよいのか、よくわからなくなった。小説を読むのに欠かせない想像力を行使できず、私は文字どおり途方に暮れていた。本書のもとになった連載が〈リハビリテーション〉という言葉をタイトルに含むのは、なにより書き手の自分自身が、新たな小説との出会いによって、この空白状態から恢復したかったからである。

いまこうして振り返ると、二〇一六年から二〇二〇年の間に書かれ、時評で私がとりあげた小説には、いくつかの共通の主題がはっきりと見てとれる。その最大のモチーフも〈恢復〉だった。いったい何からの？　東日本大震災後に書かれた小説は「震災後文学」とも呼ばれ、その多くは、この災厄によって損なわれた自己の――あるいは誰かの――〈恢復〉をモチーフとしていた。新自由主義やグローバリゼーションといった逆らいがたい趨勢――本書でとりあげたマーク・フィッシャーの言葉を用いるならば「資本主義リアリズム」――によって損なわれた自己からの、あるいはそれをもたらした〈時代そのもの〉からの〈恢復〉を希求した小説もあった。だがいまとなっては、そこに託されていたのは、もっと大きなものだったように思える。それは「文学」そのものの〈恢復〉である。

一般的な文芸時評は、文芸誌に掲載された長短編作品にまんべんなく目を配り、それらに対して一定の評価を下すものとされている。実際、新聞紙上や文芸誌上では、そのような文芸時評がいまも書かれている。

　しかし私は、この本に収めた文章を初出の媒体で連載するにあたり、そのようなかたちの文芸時評を書くことを早々と放棄した。文芸誌の目次に並ぶ作品を寸評していくかたちでは、自分が求める切実な言葉――かつては間違いなく生活の一部だったもの――を見出すことができないように思えたからだ。そのかわりに、その月でもっとも重要と思えた文学作品を、毎月最低ひとつ、文芸誌に掲載された作品や単行本として出た主流文学からＳＦまでの小説、翻訳された外国文学、さらには評論集やエッセイ、マンガ作品も含めたなかから選び、その作品はなぜ、そのように書かれるしかなかったのかを、言葉を尽くして論評することにした。

　そのような経緯で、本書に収めた文章の多くは、単一の作品への評というかたちをとっている。取り上げた作品はこの時期に書かれた膨大な作品群のごく一部にすぎないが、私には十分すぎるほど豊かな読書体験であり、書かれつつある小説作品のなかに、ありうべき文学の姿を再発見していく過程でもあった。〈リハビリテーション〉はその意味で、ある程度の成果を上げることができたように思えていた。

　ところで私はいま、この文章を、本文が校正刷り（初校）としてすべて組み上がったあとで書いている。そしてこの文章は、新たな災厄――COVID-19と呼ばれる新型コロナウイルス感染症のパンデミック――を経た〈新しい日常〉のなかで書かれている。一〇年後、数十年後の読者にとって、そのことがどのような意味をもつか、いまから予想することはできない。だが、この未曾有に思える災厄も、いずれ別の何かによって上書きされることだろう。

　もちろん小説は――その書き手も読者も――、一方的にやられっぱなしではない。それを希望と呼んでよいと思えるいくつかの兆候も、同時代に書かれる小説に見出すことができる。それらの作品が告げるのは、同時代の小説を「日本」という国家の範囲／単位で考えることの限界だ。優れた同時代の小説のいくつかは、「日本（語）文学」「外国文学」「世界文学」といった従来のカテゴリーに再検討を求めると同時に、日本語による文学表現の新たな地平を切り拓きつつある。

　同時代の政治に対する言及や思考の回避が、日本の〈ポストモダン文学〉の最大の特徴だったとすれば、二〇一〇年代後半の日本の同時代小説は、そのような軛《くびき》からは解き放たれている――あるいは自らをそこから解き放とうと身悶えしている。それほどまでに小説と政治、あるいは社会をめぐる状況は、この時代に大きく変化した。文学（者）や小説（家）の社会的孤立は、ソーシャルメディア上での無益な消耗戦を経て、〈ソーシャル・ディスタンシング〉のもとでさらに進むだろう。

　二〇一〇年代、日本の小説（家）は、いくつかの社会的な事件にも見舞われた。それらの事件を通じて文学と社会との関係は、久しぶりに緊張関係を取り戻したと言える。社会から差し向けられる期待と不審の入り混じった眼差しに対し、文学（者）や小説（家）は実作品によって絶えず応えていく義務を負う――私はそう考えている。

　本書のもとになった時評では個々の作品評にとどまらず、小説／文学をとりまく環境変化にもでき得るかぎり目を向けた。それゆえ本書は、二〇一〇年代後半の文芸時評としてだけでなく、小説の書き手と読者、小説を生産し流通させるプラットフォームについてのスリリングな実況中継としても読めるはずである。その作業はいまなお継続中だが、このあたりで中間報告をしてみたい。

この本を手がかりに、一人でも多くの読者が〈自分が生きている時代の鮮明な徴《しるし》〉を見出すことができたなら、それにまさる喜びはない。

二〇二〇年七月七日

著者記す

文芸時評——失われた「文学」を求めて

初出——「出版人・広告人」二〇一六年一〇月〜二〇二〇年六月号

政治を語る言葉を失った日本の小説

村田沙耶香『コンビニ人間』
崔実『ジニのパズル』

一〇年近く、文芸評論の仕事から遠ざかっていた。いちばん熱心に書いていたのは、ちょうどイラク戦争が終わった頃だった。その後、書評のような単発の仕事は続けたものの、現代の小説シーンを全体像として読み解き、言語化・可視化することができずにいた。個別に評価する作家はいくらでもいるが、それぞれが孤立しているように思え、彼らの営みを一つの大きな稜線として描けずにいたのだ。

今回、時評の機会を得たことで、この試みをしてみようと思う。その意味でこれは、長らく筆を執らずにいた元・文芸評論家による、現役復帰に向けたリハビリテーションのようなものでもある。

最初の話題は、やや時期遅れではあるが、やはり今回の芥川賞選考に触れたい。受賞作が村田沙耶香の『コンビニ人間』であったのは周知のとおりだが、「文藝春秋」二〇一六年九月号に掲載された選考委員による選評を読むと、群像新人文学賞を受賞した崔実《チェ・シル》の『ジニのパズル』と最後は一騎打ちだったようだ。

　選考委員九人（小川洋子、奥泉光、川上弘美、島田雅彦、髙樹のぶ子、堀江敏幸、宮本輝、村上龍、山田詠美）のうち、村田沙耶香を強く推したのは、奥泉、川上、宮本、村上、山田の五人。崔実を強く推したのが髙樹、島田の二人（奥泉は消極的な支持）。堀江は個別の作品に対して支持・不支持を明らかにしていないが、やや村田寄り。小川は崔実の作品を「飛び抜けた存在感」と評しつつも、文章の瑕疵を指摘し、強い支持にまで至っていない。

　村田の受賞はある意味、順当なものともいえる。芥川賞とは、個別の作品に対する評価である以上に、文壇コミュニティへの入社試験であり、いわば一種の「人事考査」である。村田は二〇〇九年に『ギンイロノウタ』で野間文芸新人賞を、二〇一三年に『しろいろの街の、その骨の体温の』で三島由紀夫賞を受賞しており、文壇的に期待の高い作家だ。三島賞受賞の際に、自身が「まだコンビニで働いている」ことを明かして話題になったが、今作はその流れの先にある、いわば戦略商品であり、又吉直樹の『火花』以後に文藝春秋がとっている、純文学の大衆化路線とも平仄《ひょうそく》が合う。あえて悪口を言えば、「マーケットメカニズムに商品を合わせていくコンビニ的手法を純文学も採用せよ」という時代の要請に、本作はまさに沿っているのだ。

　さて、芥川賞選考委員の村田作品に対する高い評価は、「現実を描き出している」ことと「ユーモア」にあるとされる。「十数年選考委員をやって来たが、候補作を読んで笑ったのは初めて」（山田）、「人間世界の実相を、世間の常識から外れた怪物的人物を主人公に据えることで、鮮やかに、分かりやすく、かつ可笑しく描き出した」（奥泉）、「現実が、見事に描き出されていた」（村上）、「コンビニというマニュアルの集積のような職場であっても、そこもまた血の通った人間の体温によって成り立っていることを、独特のユーモアと描写力で読ませていく佳品」（宮本）と、ほぼ同様の賛辞が並ぶ。このように評されることが目論まれ、そのとおりに解読された。

私自身はこの小説から、さして「ユーモア」を感じなかったが、ネット上でも「クレイジーすぎる」などと話題になっている、著者の村田自身のキャラクターを戦略的に刷り込んだ「異様な語り手」の設定によって、独特のおかしさを醸し出そうとしたことはわかる。

しかし小説は、いつから「現実」を描き出すものになったのか？　コンビニで働く者が「血の通った人間の体温」を持つことなど、小説にするまでもなく明らかだし、村田沙耶香という作家の真骨頂は――そして本作のよさも――「現実」や「人間」をリアルに描くことにではなく、むしろ現実とはまったくそぐわない、異様な手触りや不快感を描くことにあったはずだ。不出来なサイエンス・フィクションというべき『殺人出産』『消滅世界』の二作は、無惨な失敗だったと私は考えるが、一転してわかりやすいキャラクター小説を書いて文壇の「正社員」に登用されたのだとしたら、村田沙耶香は次作以降で作家としての真価を問われるだろう。

崔実の『ジニのパズル』は、手練の名文家揃いの選考委員によって、文章の瑕疵ばかりが指摘され落選したが、この小説のなかでもっとも話題とすべき、朝鮮学校における主人公の小さな

「革命」について、ダイレクトに言及した選考委員が島田雅彦一人だったのは解せない。

著者が在日三世の韓国人というマイノリティであることを、評価の底上げの理由にしなかったことは、選考委員の一種の見識だろう。文学は決して、マイノリティ救済のための手段ではないからだ。しかし朝鮮人学校の抑圧的な空間――コンビニ労働における業務上の規律やマニュアルの明解さとはある意味で対照的な――のなか、主人公ジニが惑乱のなかで行ってしまう決定的な聖体破壊を「エピソードのひとつ」に貶めることは、村田作品に対する過大評価に比べると、あまりにアンフェアであるように思う。

この小説はJ・D・サリンジャーの『ライ麦畑でつかまえて』の現代版ともいうべき、爽快な少年小説でもあるのだが、同時に語り手自身の「自己療養」（村上春樹）の記録でもあり、そこにおいて村田沙耶香の作品と決定的な対照をなす（村田作品では、語り手に治癒の可能性はなく、物語の構造上、求められてもいない）。

しかも国家主席の肖像画を破壊したことを、快哉を叫ぶべき行為としては、崔実は描いていない。むしろ、そのことによって決定的に損なわれてしまった友人との――つまり社会との――関係損壊が、彼女自身を長く苦しめている。そして彼女は、治癒されたいと強く願っている。文学に存在理由があるとしたら、それは後者の願いに応えることではないか？「変人」であることに開き直れる強者だけが生きていける世界が「純文学」なのだとしたら、崔実がそこへの「入社」を拒まれたことは喜ぶべきかもしれない。

『ジニのパズル』を、政治性を帯びた作品とみなすことは不当ではないが、それは二重底になっている。作家自身と主人公が日本において（あるいは世界のどこにおいても）マイノリティであることから発する政治性が最初のレイヤーだとすれば、より深い政治性は、「日本の小説家はなぜ、そのような政治性を描くことを避けるのか」という問いを他の作家の喉元に突きつける、その一点に存する。

ジニの孤独は、北朝鮮という「国家」がテポドンを日本に向けて発射したという偶発的な出来事と、それゆえに彼女自身が、自分の暮らす日本という「国家」において屈辱を受けなければならない理不尽、さらに同胞が学ぶ「朝鮮人学校」のなかで不問にされ続けていた暗黙のルールの、すべてにNOを突きつけることによっている。このうち後者二つは、日本に暮らす日本人には無縁に思えるかもしれない。しかし本当にそうなのか？　崔実の作品が突きつける問いは、日本人に対しても同じ構造が存在するにもかかわらず、それを巧みにスルーする技術ばかりが長けていく、日本の「現実」そのものにも向けられている。

そこで私は、考えてしまうのだ。もし、『コンビニ人間』の語り手が在日三世で、朝鮮人学校の学生だったなら、どのような行動をとり、それはどんな小説として書かれただろうか、と。あるいはジニがコンビニでアルバイトをしていたら、彼女は何と戦い、何を理不尽と感じ、何に傷ついただろうか、と。

いま日本の文芸作品の大半は、政治を語る言葉を失っている。東日本大震災という大きな出来事の後において、これはむしろ不思議なことでもある。村田沙耶香の『コンビニ人間』にもアイロニーは込められているが、芥川賞の選評はそれを「ユーモア」としか呼ばない。資本主義のもとで剥き出しの政治性が働くコンビニという空間で、出来の悪い人工知能のように「合理的」に思考し行動する『コンビニ人間』の語り手が、なんらの不快感を与えないのだとしたら、そんな日本という国に対して、私たちはジニのように、改めて深く絶望すべきではないか。

まだ単行本化されていないが、「新潮」二〇一六年一一月号（一〇月発売）で完結した黒川創の『岩場の上から』も、政治という主題に大胆に踏み込んだ問題作である。二〇四六年という戦後一〇一年目の年を舞台とする近未来小説だが、鶴見俊輔と「思想の科学」周辺で若い時期から活動してきた黒川（ベ平連の活動家だった故・北沢恒彦を父に持つ）の自伝的エピソードが交えられていると思われる。東日本大震災以後に書かれた幾多の「震災後文学」のなかで、もっとも優れた成果の一つは、黒川の連作短編集『いつか、この世界で起こっていたこと』だと私は考えるが、『岩場の上から』はそのモチーフを改めて長編作品に投入したものだ。

「新潮」ではもう一つ、古川日出男の長編『ミライミライ』も連載が継続中であり、完結が待ち遠しい。こちらは北海道を旧ソ連に、沖縄をアメリカに占領されたままの戦後日本が、インドと連邦制を敷くという設定で語られる壮大な物語だ。

黒川と古川は、いずれも日本の文壇から距離を起きつつ、そこに欠如しているおおきな構想力によって、日本の――あるいは世界の――歴史全体の書き換え、つまり認識の転換を迫ろうとしている。紙幅が尽きたので、これらの作品について詳説するのは次回以降に譲りたい。

日本の文芸シーンは現在、まごうことなく沈滞している。だがその沈滞は、小説家が書くべきことを失ったからではない。書くべきことがありながら、そこから目を背けているか、書きうる技能あるいは勇気が欠如しているからだ。崔実は「新人」であるがゆえに、いま彼女が書くべきことを書いた。そのことで、まごうことなき「小説家」となりえたのだから、芥川賞を受賞しなかったことは彼女の栄光をなに一つ損なわない。そして今回の芥川賞は、村田沙耶香の受賞によってではなく、崔実への授賞の忌避によって、後世に記憶されることになるだろう。

記❖二〇一六年一〇月

単なる政権批判や反原発小説ではなく

黒川創『岩場の上から』

第四五代アメリカ合衆国大統領にドナルド・トランプが当選した。トランプという人物の社会的イメージを共有しない日本人には、いまひとつその重大性がピンとこないが、ここ数十年にわたって政治・経済上の基調であった新自由主義が、今年（二〇一六年）六月のイギリスにおけるＥＵ離脱の国民投票に続き、その総本山であるアメリカでも軌道修正を迫られたことの意味はとてつもなく大きい。ひとことで言えば、ついに二一世紀が始まった、との感慨を抱いた。

さて、連載の初回に続いて政治と文学の話をしたい。日本の文学がいま衰弱しているのは、（広義における）「政治」との対峙を避けているためだと考えるからだ。文学は、目下進行しつつある政治的プロセスに対し、明らかに遅れをとっている。その「遅れ」を自覚することからしか、文学への再生も、日本における政治的なるものの再生もないだろう。

前回の最後に少しだけ触れたが、このことを考える上で格好の作品が、黒川創が「新潮」で一年にわたり連載した『岩場の上から』だ。二〇一六年一月号ですでに完結しており、遠からず単行本化されるだろうが、重要な作品なので刊行を待たずに論じたい。

『岩場の上から』は、北関東にある架空の町・院加《いんか》を舞台とする、時代設定を三〇年後の西暦二〇四六年に置いた未来小説だ。この町には「軍」の演習場があり、核廃棄物最終処分場の建設も予定されている。こうした設定で描かれる物語は、現在の日本社会にみられる諸相の延長線上をそのまま進んだ場合に、私たちがいかなる世界に住むことになるか、という一種のシミュレーションといってもいい。

　したがってこの時代の日本は、以下の特徴を持つことになる。

▼AＩや車の自動運転、ドローンなどの技術が順調に発展し、社会的な問題は政治的プロセスではなくエンジニアリングによって解決される。

▼自衛隊はすでに正式な「軍」となっており、「積極的平和維持活動」の名のもとで海外派兵されている。政府は海外のテロ組織に対して宣戦布告を行い、軍を派兵する。

▼こうした趨勢のもとで新聞や出版といった産業は壊滅的に衰えており、新刊書はほとんど出なくなっている。

　これらは現在のなかにすでに萌芽が見える事態にすぎず、その意味で三〇年後の未来の描写としては陳腐ともいえるが、作者の意図がサイエンス・フィクションを描くことにない以上、この作品の欠点とはいえない。

　では、黒川は『岩場の上から』で何を書こうとしたのか。

　黒川の『いつか、この世界で起こっていたこと』は、「東日本大震災以後に書かれた幾多の『震災後文学』のなかで、もっとも優れた成果の一つ」とも前回に書いた。あの連作短編集で黒川が企図したのは、東日本大震災を前例のない単独の出来事として捉えるのではなく、幾度となく繰り返し「この世界で起こっていたこと」の一つとして、長期的な歴史の相に置いてみることだった。震災に対するリアクションとして書かれた幾多の「震災後文学」が特異性を強調したのとは対照的に、長大な歴史のなかにあの震災を位置づけ（それは単なる「相対化」ではない）、乗り越える契機を探ることだった。

　だが『岩場の上から』に描かれる日本は、そもそもこうした歴史に対する感覚があらゆる意味で麻痺している社会になっている。その不在の象徴として位置づけられるのが「総統」と呼ばれる、あからさまに安倍晋三を連想させる人物だ。

　彼は日本の政治的レジームの大幅な変更を企図して長期政権を担ったが、二〇二〇年の東京オリンピックを待たずに失脚した、と紹介される。だが「総統」は、九〇歳を超えたいまも、永遠の生命を持つかのように首相官邸の地下室でひっそりと生き延びており、その政治的意思は現職首相を「巫女」として実現される。二〇四六年の日本には、まだ天皇も存在しているのだが、「総統」の持つ超越性は、天皇のそれを上まわるように見える。

　そこに至る歴史をはっきりとは描かない『岩場の上から』では、かわりに考古学が重要なモチーフとなっている。民族派右翼もどきの宅地開発コンサルタントから、市民活動家や自衛官まで、多くの登場人物が複雑なネットワークを織りなすこの小説で、さしあたりの「主人公」と呼べる西崎シンという名の一〇代の少年の仕事が、考古学の「発掘補助員」であることは象徴的だ。
物語の舞台となる赤城山麓の架空の町・院加は岩宿遺跡にも近いにもかかわらず、シンは岩宿遺跡の重要性もよく知らない。つまり、自らを長い歴史あるいは自然史のスパンのなかに置いて考える習慣がない。「若さ」とはそういうものであり、黒川は自分の孫世代に相当するこの少年を、ひとまずイノセントな状態に置く。

彼の無垢さは、彼の両親（二〇一六年秋に解散したSEALDsの若者たちを彷彿とさせる世代）とのコントラストにおいても際立っている。シンの両親は二〇一〇年代の一時的な政治的高揚とその退潮のなかで出会った。父は若い頃、国会前での演説中に何者かに背中を刃物で刺され、そのことを契機に活動から身を引く。他方、母は数年前に首相官邸への不法侵入を試みて逮捕され、獄中にいる。面会に訪れたシンに、母はその目的が総統の暗殺であり、実際に総統に会ったことを語る。

こうしたエピソードには、黒川自身やその父親・北沢恒彦らが一九六〇年代〜七〇年代のベ平連（ベトナムに平和を！市民連合）での活動のなかで得た体験が投影されているに違いない。院加の町では「戦後一〇〇年」を旗印にした反戦市民運動が続いており、「軍」からの兵士の脱走を促す活動をひそかに行っている。これが一九六〇年代のベトナム反戦運動における脱走米兵支援の反復であることは、作中でもそのことがほぼ唯一の歴史的なエピソードとして言及されていることからも明らかだ。

院加町の駐屯地からある日本軍兵士が脱走を決意し、ひとたびはこの運動を頼ってくるが、変心して軍に戻ってしまう。だがこの兵士は、のちに警備を担当していた浜岡原発を占拠し、出征拒否を宣言する「反乱」の指導者となる――こうした出来事をクライマックスに置きつつも、『岩場の上から』という物語は、その後のシンの「成長」を示唆するところで、ぷつりと終わってしまう。この作品のなかでは、シンの「成長」そのものは描かれない。むしろ「それ以前」の絶望的な状況をあますことなく記述することに主眼が置かれている。

シンの導き手となることが示唆されている年長の恋人・めぐみちゃんとの間で、物語の終盤、こんな会話が交わされる。(以下、引用はすべて単行本での改稿を反映した)

「シン。図書館ってどうなっちゃうんだろうね」

と、唐突にめぐみちゃんは言う。

「――もう、新しい本って、ほとんど出ないでしょう？　そうすると、どんどん、図書館の書棚も古い本になるばかりで」

「だんだん、誰も来なくなっていくんだろうな。建物もおんぼろになって、そのうち廃止されるしかないんだろう。

だけど、それって、……これまでの人間たちが重ねた膨大な記憶を、捨ててしまうことのようにも感じる。あとで、しまった、と思っても、もう取り戻せない。そういう、おそろしいことでもあるような」

「わたしは、古い図書館って、好きよ。あんまりいい本がなくても、そこの椅子に座ってると、気持ちが落ち着く」

「そういう人って珍しいんだよ。だから、こうなるんだ」

シンは笑った。

このやりとりからうかがえるように、シンは「だから、こうなる」という認識まではすでに得ている。発掘補助員でありながら、初めは岩宿遺跡のなんたるかも知らなかったのにもかかわらず。

だからこの小説は、日本の暗い未来を予測した、単なるディストピア小説ではない。同じく安倍首相をモデルとしつつも、被害者意識のみに凝り固まった田中慎弥の『宰相A』が愚にもつかない作品だったのに比べ、黒川の描く「総統」の姿はどこか滑稽で、それゆえに実は、まったくリアリティがない（だから作中でも「AIなのではないか」とさえ解釈される）。『岩場の上から』という作品全体が抑制の効いたリアリズムの筆致で描かれているなかで、「総統」とその「巫女」に相当する女性の現職首相だけが、輪郭を欠いた、どこかおぼろげな存在として描かれているのは何故だろう？

一九八〇年代以後のポストモダン文学は、繰り返し、こうした「リアリティ」の不在を描いてきた。あえていえば「リアリティがない、というリアリティ」を描いてきたともいえるのだが、「ではなぜ、私たちはリアリティを奪われているのか」という根底的な問いを発することはなかった(この問いを手放さずにいた唯一の作家が星野智幸だが、人文書院から「星野智幸コレクション」全四巻が刊行された。『目覚めよと人魚は歌う』『ファンタジスタ』『在日ヲロシヤ人の悲劇』といった彼の一連の「政治小説」が、再び新たな読者の目に触れる機会を得たのは、まことに喜ばしい)。

一九七〇年代後半以後の日本のポストモダン文学に通底する非政治性は、村上春樹の『風の歌を聴け』や高橋源一郎の『さようなら、ギャングたち』が象徴するとおり、一九六〇年代末の政治運動の帰結に対するリアクションとして起きたものだった。だがそうした「起源」が忘却された後も、不在は不在として意識されることもなく続いた。

くっきりとした輪郭を欠き、歴史との連続性も失ったまま、いまや消え入りそうになっている現代文学の対応物を『岩場の上から』のなかで探すなら、あろうことか、まさに「総統」こそがそれにあたる。だから、私はこの小説を、単なる現政権批判や反原発小説としては読まない。作中における「総統」の薄気味悪さに辟易しつつも、それを悪の象徴としても一方的に断罪すべき敵としても捉えない。そのように読むならば、トランプ大統領を生んでしまったアメリカ合衆国の国民以上に、日本人は不幸なままである。

記❖二〇一六年一一月

「ゾンビ」ではなく「武者」を！

古川日出男：訳『平家物語』
羽田圭介『コンテクスト・オブ・ザ・デッド』

河出書房新社が池澤夏樹による「個人編集」と銘打って刊行してきた『日本文学全集』の第Ⅱ期の掉尾を飾る大作として、古川日出男訳による現代語版『平家物語』が出た。最終的に全三〇巻で完結するこのシリーズでは、池澤自身による『古事記』から角田光代による『源氏物語』まで、古典の「現代語訳」が当代一流の作家によって試みられている。

各作家への作品の割り振りを見ると、現在の文壇における「キャラクター設定」が開示されているようで、どこか落ち着かない気持ちになる。そのなかで唯一期待していたのは、古川による『平家物語』だった。プルーフ版で一足先に読み始め、途中で刊本に切り替えて一気に読み終えたが、期待を裏切らぬ見事な出来映えだった。

この「現代語訳」で古川が試みたのは、平家物語（以下、古典作品としての平家物語には、カギカッコをつけずに表記する）をポリフォニックな作品として現代によみがえらせることだ。平家は、読まれたのではなく、語られた。話者は入れ替わり立ち替わり、それにつれ文体も変わった。古川は「前語り」でこう書いている。

平家は成長する物語だった。（略）わかるのだ――「今、違う人間が加筆した」と。ふいに書き手が交代したことがはっきりと感知されるのだ。文章の呼吸が変わる、と説明したらいいのか。また構造面でも然《しか》り。やはり了解される――「今、誰かがお話を挿《はさ》んだ。この箇所に、もともとは存在していなかったものを」と。

さらに古川は言う。平家物語は「軍記物語」ではない、と。なにしろ――

この作品には四巻めに至るまで合戦の描写はない。そこまでにあるのは、むしろ政治、政治、政治だ。あとは宗教。そして恋愛。

私も当初、古川による平家には、軍記物としての合戦描写のダイナミズムのみを期待した。一の巻から続く説教くさい坊主の「語り」を読むのは辛かったが、どこかで語り口が変わるに違いない、それまでの辛抱と思いつつ読んだ。

果たして、あるところで明確に語り手が変わり、「声」が変わる。転調が行われバックグラウンドに流れる音楽も変わる。平家物語が音楽であることは間違いない。しかし、それはどんな音楽なのか。

近代日本文学は、おそらく平家物語をそのうちにうまく位置づけられずにきた。それは近代文学が、音楽によって駆動してしまう身体性を扱いきれなかったからだと私は思う。「古代から近代まで絶えずに連なる日本文学」というフィクションは、極端にいえば、王朝的物語の連鎖によってバトンが受け渡されてきた。日本近代文学の王座を占める作家・谷崎潤一郎の象徴が「谷崎源氏」であり、三島はそれに恋い焦がれつつ果たせずに『豊饒の海』を書いて死に、中上健次が天皇制を反転させた「路地」という場所の物語として反語的に受け継いだのち、中上の死後は村上春樹が「世界文学」という、これまた壮大なフィクションのもとで「物語作家」として振る舞おうとしている。その系譜のすべてにおいて参照されるのは源氏物語であり、平家物語ではない。

ところで、小林秀雄は平家物語をこう評したことがある。

「平家」のあの冒頭の今様《いまよう》風の哀調が、多くの人々を誤らせた。「平家」の作者の思想なり人生観なりが、其処《そこ》にあると信じ込んだが為である。（略）作者を、本当に動かし導いたものは、彼のよく知っていた当時の思想という様なものではなく、彼自らはっきり知らなかった叙事詩人の伝統的な魂であった。

（小林秀雄「平家物語」より）

そして小林は言う。

「平家」の哀調、惑わしい言葉だ。このシンフォニイは短調で書かれていると言った方がいいのである。

（同前）

たしかに平家物語は、一つの巨大なシンフォニイといっていい。しかしその交響曲は、一人の作者の手によるものでもなければ、明確な構造を持つものでもない。むしろ破綻がある、と古川日出男は言う。

先に引いた小林の「平家物語」という文章は、昭和一七年七月、すなわち「先の戦争」の開戦二年目という特殊な時期に書かれたものだ。大日本帝国にとっての「壇ノ浦」ともいえるレイテ沖海戦はまだはるか先のことだが、小林秀雄の明敏な神経は、日本の敗北をすでに予期していたのかもしれない。

だが、小林によるこうした評価が、戦後世代の平家理解を誤らせた面もあるのではないか。源氏の「叙情」に対する平家の「叙事」、源氏の女手に対する平家の益荒男《ますらお》ぶり、源氏の「物語」に対する平家の「詩」。こうした対立は昭和一七年における小林秀雄にとっては切実なモチーフであったろうが、現代に生きる我々が小林秀雄的な「無常観」にとらわれる必要はない。

平家を改めて「物語」として——しかも、架空の「日本文学史」を仮構するためではなく、むしろ解体し、再構築するための素材として——評価できないか。古川日出男は今回の現代語訳でそれを意識的に行った。平家の影響は新作『あるいは修羅の十億年』にも刻印されている。なにしろ二〇二六年の日本を描いたあの作品には、福島・相馬藩の武士の血を引く男が登場するのだから。

今年（二〇一六年）は、町田康による義経記の優れた現代語バージョン『ギケイキ——千年の流転』も刊行された（「文藝」で現在も連載継続中）。町田は『日本文学全集』で宇治拾遺物語の「現代語訳」を担当し、好評を得た。町田にせよ古川にせよ、ポストモダン文学の行き詰まりにより衰弱した「物語」のエッセンスを古典現代語訳の経験から得て、自作に生かしたことは明らかだ。

古代末期、藤原摂関家が天皇家とともに編み上げてきた位階制度の網の目は、平家の台頭と没落、それを討つ源氏および鎌倉武士の勃興により崩壊する。文壇の現状はある意味で、古代官僚制の末期に酷似している。芥川賞受賞（五位程度に相当？）で文壇の「殿上人」となった後は、各文豪の名を冠した（「谷崎賞」の如き）文学賞の階梯《かいてい》を一つ、また一つと登ることで文壇的人事システムのなかに位置づけられていく。そうした網の目が有効に機能した時代も、かつてはあったに違いないが、いまはもう形骸《ゾンビ》化しきっている。

優れた作家も作品も、現代文学のなかに存在しないわけではないが、文壇内であろうと、その「外」にあろうと、彼らは孤立している。なぜなら、仮に芥川賞を与えられようと、昇殿する

「壇」そのものがもはや存在しないからだ。

いま必要なのは、いわば「武者」としての作家であり、彼らが紡ぐ「物語」である。以前から私は、古川日出男を日本の現代文学における「武者」的存在――いわば現代文学における義仲であり義経――だと思っている。古川は今後、自作によってこのことを証明していくだろう。

芥川賞という擬制を維持しなければならない文壇の側でも、自己否定ともいうべき動きが始まっている。羽田圭介の「芥川賞受賞後第一作」として発表された長編『コンテクスト・オブ・ザ・デッド』は、控え目にいっても駄作として切り捨てるしかないが、又吉直樹との「抱き合わせ」で昇殿させられてしまった、デビュー一三年目の年老いた元「高校生デビュー作家」、すなわち平家の末席につらなる若殿の断末魔の叫びとして読むと感慨深いものがある。『コンテクスト・オブ・ザ・デッド』の主人公であり、一種の狂言回しの役をつとめる作家Kは、羽田自身のプロフィルからは少しだけズラされてはいるが、その分身であることをも十分に伺わせるこのような人物である。

一〇年前、最大手出版社発刊の純文学文芸誌の新人賞を受賞し、K自身は美人女性作家のようなアピールポイントがなかったにもかかわらず、比較的エンターテインメント要素の強い作品だったこともあってかデビュー作は四万部売れた。

その後、Kの作品は「二作目が一万五〇〇〇部」「三作目が八〇〇〇部」印刷され、「四作目から七作目までは初版部数も七〇〇〇から八〇〇〇の間を維持し、八作目で五〇〇〇部まで落ちた」と描かれる。そして現在、Kの状況はこうである。

デビュー作以来増刷のなかったKは、また原点に返り一般ウケする本を書き増刷の実績を出せば、初版部数も昔のように戻ると考えた。そうした思惑で書き上げた九作目の初版部数は三〇〇〇部で、一〇作目は四〇〇〇部、そして二年前最後に刊行した一一作目の初版部数は三〇〇〇部に終わっていた。

かくしてKは、現在は「治験アルバイトでなんとか生活費を稼ぐ」ような有様で、三四歳にして「廃業」も考えている。そんなKが、文芸誌の「埋め草」として依頼され、たまたま目撃した「ゾンビ」をネタに書いた「評論のような小説のような一五二枚の穴埋め作品」が、業界やネットで話題を呼ぶ。「歩く文芸誌」と呼ばれるほど文壇事情に目配りのいいKという存在を通じて、この一〇年ほどの間に文壇で話題となった出来事が、その外部のものにはまったく理解できないかたちで——つまり、きわめてハイコンテクストに——本作では戯画化されていく。

この小説で「ゾンビ」と名指しされているのは、要するに旧来の文壇システムに依拠した作家のことである。作中の文壇バーには、夏目漱石のゾンビさえ登場する（最近、二松学舎大が制作した漱石の実物大アンドロイドは、まさにテクノロジーによる「ゾンビ」の具現化といえる）。

もちろん羽田圭介は、自らがすでに「ゾンビ」的な存在であることに自覚的であり、その構造自体を戯画化する作品として、この小説を書いたのだ。だが、そうした「メタ」視線こそが、ポストモダン文学をやせ細らせたのである。

池澤夏樹の意図が奈辺にあったかはともかく、『日本文学全集』の古典現代語訳という事業は、現代文学にポストモダンからのリハビリテーションを施したという点で、一定の評価をせざるをえない。しかし、それが「日本文学史」というフィクションを延命させるだけならば、功罪合い半ばとなる。だから私は願わざるをえない。

古川日出男に続く武者よ、出でよ、と。

記❖二〇一六年一二月

孤軍奮闘で書き継いだ「新しい政治小説」

星野智幸『星野智幸コレクション』全四巻

人文書院が刊行する『星野智幸コレクション』全四巻が完結した。各巻は「スクエア」「サークル」「リンク」「フロウ」と題され、政治、家族、性愛、生と（自）死、植物的な生、移民といったデビュー以来のテーマやモチーフに沿って、初期から中期の主要作品が作者自身の手で編まれている。

今回のコレクションに収録された長編作品は、『在日ヲロシア人の悲劇』、『ファンタジスタ』（「スクエア」）、『ロンリー・ハーツ・キラー』（「サークル」）、『無間道』、『アルカロイド・ラヴァーズ』（「リンク」）、『目覚めよと人魚は歌う』、『砂の惑星』（「フロウ」）であり、星野作品をずっと読み続けてきた私としても納得のいく選択である（欠落している初期から中期の長編は、デビュー作『最後の吐息』と『虹とクロエの物語』）。

星野は産経新聞で記者生活を二年半経験した後、メキシコに私費留学して字幕翻訳者となったのち、中上健次が中断したところから自覚的にパスを受け取るかたちで小説を書き始めた。いわゆる「J文学」と呼ばれた一九九〇年代後半にデビューした一連の作家のなかで、星野は村上春樹の影響をほとんど感じさせない点できわめて稀有な存在だといっていい。

デビュー作『最後の吐息』はガブリエル・ガルシア＝マルケスの『百年の孤独』と中上健次の『千年の愉楽』を強く意識した意欲作であり、以後もラテン・アメリカ文学の持つ濃厚で解像度の高い文体を日本語に持ち込み、一貫して独自の作品世界を作り上げてきた。一般にもっともよく知られた作品は、三木聡監督によって映画化もされた二〇一〇年の『俺俺』だろうが、その後も一四年には「アラビアンナイト」のジェンダーを入れ替えた『夜は終わらない』、一五年には衰弱し荒れてゆく商店街を日本の縮図に見立てた『呪文』と、重要な作品を書き継いできた。いうまでもなく現代日本文学の最重要作家の一人である。

文芸を得意とするわけではない人文書院という版元から今回のコレクションが刊行されたのは、星野のいう「新しい政治小説」への関心からだろう。ことに『呪文』が刊行された二〇一五年は国会周辺デモをはじめとする政治運動の機運が一時的に高まった年でもあり、ヘイトスピーチやネットを介した流言飛語を題材にした『呪文』は、そのような世相とあいまって話題を呼んだ。

星野智幸のいう「新しい政治小説」とは、「なぜ日本では、文学において政治は空白になってしまうのか」という問いそのものを内包した政治小説のことであり、そのために「存在しているのにあまり可視化されていない力関係を、グロテスクなまでに肥大させて描く」ことを意識したと星野は言う。コレクションの第一巻「スクエア」のあとがきで、星野は次のように書いている。

学生運動がしぼんで以降、政治が小説のテーマとして描かれることはとても少なくなった。それどころか、文学業界（文壇が消滅してからも「業界」は機能している）では、政治的社会的テーマを扱った作品に対し、過剰ともいえる嫌悪を示した。小説は言語表現それ自体が持つ政治性や権力性にこそ敏感であるべきであり、テーマとしてベタに政治を扱うのは、政治の土俵に取り込まれることを理解しない、意識の低い作品だと見なされた。そうして、現実の政治の権力性から目をそらし、まるでゲームをしているかのように、危険のないごく狭い範囲の権力性の分析に没頭していた。

小説家や批評家が具体的に名指しされているわけではないので、これだけだと星野が何を批判しているのかわかりにくいところもある。だが、村上龍、村上春樹、高橋源一郎らを源流とする日本のポストモダン文学が全共闘世代の政治的挫折によって生まれたことは明らかであり、またここ二〇年程度に絞っても、政治という主題が文学の問題としてさかんに議論されたのは、柄谷行人や中上健次による一九九一年の「湾岸戦争に反対する文学者声明」がほとんど最後だった。つまり平成文学史は政治という主題に正面から向き合うことを回避することで成立してきたといってもいい。

日本における「政治と文学」をめぐる論争史はざっと振り返るだけで疲弊する問題系だが、少なくとも二〇〇一年のアメリカ同時多発テロからイラク戦争を経て、二〇一一年の東日本大震災まで、日本の純文学が政治という問題に、不思議なほど冷淡だったことは間違いない（政治的デタッチメントの象徴だった村上春樹による二〇〇九年の「エルサレム演説」は、そこから逆算して考えると意味深長である）。

その時期に星野智幸は、ほぼ孤軍奮闘で「新しい政治小説」を書き継いできた。今回のコレクションに、星野が「新しい政治小説」三部作と呼ぶ、『ファンタジスタ』、『ロンリー・ハーツ・キラー』、『在日ヲロシア人の悲劇』がすべて収録されていることは、今回の出版企画自体の意図を明瞭に物語っている。

これらの作品が書き継がれていた二〇〇三年から〇五年は、第一次から第三次の小泉純一郎政権の時期にあたる。批判的な意味を込めつつ、現今の社会状況を「新自由主義」という経済合理性至上主義から語る風潮が一般的になり、他方で、小泉政権のもとでの既存政治の改革に対する期待が一定の高まりをもった時期でもあった。

小泉政権とその後の民主党政権（二〇〇九〜二〇一二年）は、与野党という壁を超えて一つの流れのなかにあると私は考える。アメリカでいわゆる「同時多発テロ事件」のあった二〇〇一年から東日本大震災が起きた二〇一一年までは、日本においては「ゼロ年代」と呼ばれ、一定の支配的な言説があった時代として区分できる。一言でいえば、その内実を問うことがあまりなされないままに政治・社会的な「改革への期待」が存在しえた時代であり、そのなかで文学における政治性はむしろ忌避・消去されていった。政治性が問題とされるにしても、文学的なソフィスティケーションが優先され、星野のいう「ゲームをしているかのように、危険のないごく狭い範囲の権力性の分析」に没頭し、少なくとも「ベタな政治小説」は書かれなかった。

こうした平成文学の状況が変化したのは東日本大震災後、ことに第二次安倍内閣の成立後である。国会周辺デモやSEALDsの活動が話題を呼ぶようになるのと並行して、安倍内閣批判ともとれる「寓話的風刺的な作品」（名指しはされないが、たとえば田中慎弥『宰相A』などを指すと思われる）が書かれるようになった、と星野は言う。その経緯について星野は「意地の悪い見方をすれば、政治を語るのは普通のことなのだ、という風潮が社会に広がってから、ようやく文学も政治に手を出し始めた」「すでに見えていること、既知となって言語化されていることを書くのは、文学として少し後手にまわっているのではないか」とも書いている。


天皇の生前退位と改元が現実的なスケジュールに登り始めたこともあり、約三〇年にわたる「平成文学史」を記述する試みは今後、増えるだろう。そのための視座を設定しようとする刺激的な論考が「すばる」二〇一七年二月号に掲載された矢野利裕の「新感覚派とプロレタリア文学の現代──平成文学史序説」だ。

矢野は昭和初期に、それまでの自然主義（私小説）リアリズムのヘゲモニーに挑む新しい文学流派として「新感覚派」と「プロレタリア文学」が登場し、いわゆる「三派鼎立」と呼ばれる状況が生まれたことを、現代文学の見取り図にリサイクルしようと試みる。やや荒っぽい見立てではあるが、矢野の考えでは、現代もまた、新しい「新感覚派」と「プロレタリア文学」が、既存のリアリズム文学と鼎立する時代だということになる。

星野が「ゲームをしているかのように、危険のないごく狭い範囲の権力性の分析」に終始していると批判したのは、まさに矢野のいう現代の「新感覚派」に相当する作品だろう。その筆頭として矢野が挙げていた（劇作家でもある）岡田利規をはじめとする、保坂和志の強い影響下にある一連の作家である。

他方、現代の「プロレタリア文学」として矢野は、小泉政権下での新自由主義への傾斜に批判的だったアンチ・ネオリベ論壇から登場した浅野大輔や、「疎外された労働者の生活が主題となっている」とされる津村記久子などを挙げているが、彼自身も認めるとおり、一時の『蟹工船』ブームが去った後、この系譜は「細々と」続いているにすぎない。

矢野のこの論で重要なのは、日本の現代文学（平成文学）において、この両者が「だらしなく」結びつき、「新感覚系プロレタリア文学」とでも呼ぶしかない、不思議な停滞を見せているという指摘だ。岡田利規『わたしの場所の複数』や村田沙耶香『コンビニ人間』といった、きわめてソフィスティケートされた作品がその代表例に相当する。

これら「新感覚プロレタリア文学」は、星野の追求する「新しい政治小説」の対極にあると私は考える。この連載の初回で村田沙耶香の『コンビニ人間』を退け、崔実《チェ・シル》の『ジニのパズル』を高く評価したいと書いたが、これは芥川賞という「人事考査」システムへの批判にとどまらない。いま文学は「政治」といかにかかわるべきかという、基本的なアプローチの問題なのだ。

この原稿を書いている時点で第一五六回芥川賞の候補作が発表になっており、星野とも親交のある社会学者・岸政彦の短編「ビニール傘」もそのなかに挙げられている。岸は『街の人生』『断片的なものの社会学』といった著作で注目された書き手で、市井の人々のオーラル・ヒストリーを社会学の手法として取り入れている。今回の候補作と、「新潮」二〇一七年二月号に掲載された「背中の月」しか読んでいないが、いずれも大阪という土地の匂いを強く感じさせる。

現代の「三派鼎立」のなかで自然主義文学に相当するのは、都市生活者の空虚なリアリティ（あるいはリアリティの欠落）を描いた、かつて「J文学」と呼ばれた一連の作品である。岸の小説はそれらとは根本から異なる濃厚さを持つが、果たして「J文学」以前への単なる先祖返りなのか。あるいは星野のいう「新しい政治小説」としての強度を持ちうるのか。「小説家」としての岸政彦の今後に期待したい。

記❖二〇一七年一月

「読む人」「書く人」「作る人」のトライアングル

長谷川郁夫『編集者　漱石』
渡部直己『日本批評大全』

若くして小沢書店を起こし、幾多の優れた文芸書を刊行してきた長谷川郁夫が、夏目漱石の「編集者」としての側面を浮き彫りにしようとする野心作『編集者　漱石』を「新潮」で連載している。二〇一七年は漱石の生誕一五〇年であり、さまざまな企画や出版物が予定されているが、小沢書店廃業後、『美酒と革嚢——第一書房・長谷川巳之吉』や『吉田健一』といった長編評伝を発表してきた長谷川が、ついに漱石論に挑むというので大いに期待できそうだ。

その連載五回目は漱石のロンドン留学をめぐる記述である。長谷川による評伝にも詳しく描かれているとおり、吉田健一はケンブリッジに留学し、英文学との格闘の末、帰国後は優れた文学者となった。その吉田は、漱石がロンドンの下宿に閉じこもって書物を相手にするばかりで、現地の紳士(知識階級)との交流を経ずに帰国したことを惜しんだという(『東西文学論』)。

吉田によるこの「手きびしい批判」を受け入れつつも、長谷川は漱石のロンドン滞在を決して無駄ではなかった、と言う。ときまさにアール・ヌーヴォーの全盛期であり、当地でウィリアム・モリスらによるアーツ・アンド・クラフツ運動と出合ったことは、漱石が「読む人」から「書く人」へ、さらに「作る人」へと変化していく契機となった。漱石の蔵書目録にはモリスの美術論のほか、ダンテ・ゲイブリエル・ロセッティやエドワード・バーン＝ジョーンズの画集が含まれているという。帰国後に「書く人」となった漱石が自ら装丁に意匠を凝らした『漾虚集《ようきょ》』の造本や、橋口五葉による彩色挿画を見れば、その影響は明らかだろう。

漱石のロンドン滞在中に亡くなった子規との運命的な関係についても、「倫敦消息」と題された短文が「作家・漱石」としての最初のテキストであることを確認した上で、長谷川は次のように述べる。

私なりの理解でいえば、漱石の最初の創作は、子規と虚子、そして漱石、きわめて私的な、三人の編集感覚のトライアングル——読む人（ここでは子規）、書く人、作る人——のなかで成立したのである。

漱石の反自然主義的な文章観すなわち「写生文」が子規に多くを負うこと、高浜虚子の編集者としての才覚が、漱石を「書く人」として立たせたことなどは文学史的常識であろうが、長谷川は同時に、この三人が織りなした「編集感覚のトライアングル」を見逃さない。この連載では今後、漱石自身がこの「トライアングル」における「作る人＝編集者」となる過程が描かれることになるに違いない。

ところで、漱石は実作家となる前に「読む人」＝文学の理論家でもあった。漱石がロンドン滞在中に構想した『文学論』は、日本における近代的な文芸批評文の原点でもある。

折りよく、上田秋成から柄谷行人までの近代日本を代表する批評七〇本から、「惹句的な一行」すなわち文学的決めゼリフを含む部分の抄録を集めた『日本批評大全』が出た。文学的決めゼリフとは例えば、このようなものだ。

「小説の主脳は人情なり、世態風俗これに次ぐ。」（坪内逍遙『小説神髄』）
「写生文家の人事に対する態度は（…）大人《たいじん》が小供を視るの態度である。」（夏目漱石「写生文」）
「批評とは竟に己れの夢を懐疑的に語る事ではないのか！」（小林秀雄『様々なる意匠』）

この労作を編んだ渡部直己が、「文藝」二〇一七年春季号で斎藤美奈子と「批評よ、甦れ！――『日本批評大全』刊行によせて」という対談を行っている。このなかで渡部は次のようなことを述べている。

渡部：そういう意味では、明治から大正にかけて、個々の出来不出来はともあれ、批評家たちは、皆やっぱり健全ですよ。
斎藤：小林から健全じゃなくなった（笑）。
渡部：その不健全さこそが批評の「自立」だったわけです。小林の「私」批評は最大の分岐点ですよね。

そして、この対談の最後で渡部は正直な言葉を思わずポロッとこぼしてしまう。

渡部：（略）とにかく、これでまあ、中上さんや柄谷さん、蓮實さんへの恩返しができたかなという感じはしています。

果たしてこれは「批評家」としての言葉なのか、それとも批評の歴史を教える「大学教師」としての言葉なのか判然としないが、柄谷行人や蓮實重彥が大きくパラダイムを変更して以後の日本的批評の在り方を肯定する立場から、このアンソロジーは編まれているのだろう。
東浩紀らが『ゲンロン』誌上で三回にわたって行った「現代日本の批評」も、柄谷行人、浅田彰、蓮實重彥、三浦雅士がかつて明治・大正・昭和の時代を対象に行なった「近代日本の批評」を自覚的に継承（もちろん、そこには批判的契機も含まれようが）する点で、『日本批評大全』と同様のスタンスをとるものだった。
渡部にしても東らにしても、小林秀雄以後の「批評史」の連続性を絶やしたくない、それを誰もやらないのなら自分たちがやる、というのはいい。しかし、そもそも継承されるべき正統な「批評史」など日本に存在しているのか。小林秀雄、吉本隆明、江藤淳、柄谷行人、蓮實重彥といった顔ぶれが無批判にカノン化され、現在の批評家の多くが彼らに至る「批評史」を前提としている。その結果、このパラダイムの「外部」にある批評的テキストの可能性が忘却されることを、私は大いに危惧する。

『日本批評大全』がカバーする「批評史」は柄谷行人までであり、その後を『ゲンロン』の「現代日本の批評」が期せずして受け継ぐかたちになっている。では東浩紀以後、言い換えるなら「ゼロ年代」以後の批評は、どのような見取り図で考えるべきか。

これまで批評の新人賞を持たなかった「すばる」が、今年から「すばるクリティーク賞」を創設（選考委員は大澤信亮、杉田俊介、浜崎洋介。初回のゲスト選考に中島岳志）した。だが、この賞の趣旨については、集英社のサイトを見てもよくわからない。選考委員の一人である浜崎洋介のブログに以下の記述があり、ようやくこの賞をめぐる雰囲気が理解できた。

この度設けられた「すばるクリティーク賞」が、これまでにない野心的な「批評賞」であることは間違いありません。それは、既に出来上がった人間がまだ未完の人間を評価するものであると言うよりは、お互いがお互いに「文学」と「批評」を支え合い、また批判し合う同志を見つけ出すためにこそ創設された「賞」だからです（そのため、選考委員自らが下読み段階から原稿に目を通し、選考過程を公開し、受賞者には「賞金」ではなく私たちと同じ原稿掲載料が支払われます）。

（はてなダイアリー「批評の手帖」二〇一七年一月二日のエントリーより）

浜崎はさらに言う。

現在、社会学者と哲学者が選考委員をしている『群像』の新人賞と、東浩紀氏の『ゲンロン』の新人賞しかない状況において、「文芸批評」に対する情熱や実力を持ちながら、なかなか表に出てこられない潜在的な才能＝文学者は多いのではないかと思っています。しかも、大学アカデミズムが全く機能していないのであれば、それは尚更のことです。

（同前）

これは間接的な『ゲンロン』批判ともいえよう。事実、この賞の選考委員で、最後の「新潮新人賞評論部門受賞者」という来歴をもつ大澤信亮はかねてより、東浩紀らの「ゼロ年代」批評が文芸以外のサブカルチャーを対象とすることに対して否定的な立場をとってきた。それは右の浜崎のコメントの微妙なニュアンスとも符合する。

だが不思議なことに、「ゼロ年代」の評価をめぐって根本的に対立する両者も、小林秀雄を「起源」とする日本批評史が途絶えることへの危惧は共有している。そして彼らのような若い批評の書き手でさえ、柄谷行人・蓮實重彥以後のパラダイムを自明視し、その遠近法にさして疑いをもたないように思える。

批評および批評家の数と流儀が増えることは、本来ならば、文学そのものの豊かさにつながるはずだ。だが、せっかくの新しい賞も日本的批評の「継承」にばかり意が向くようでは、むしろ批評の、そして文学そのものの衰弱を加速させてしまうことにならないか。

「週刊少年ジャンプ」の発行部数が二〇〇万部を割る寸前となった今、いかに集英社といえども、文芸批評の賞に潤沢にお金をつぎ込むことなどできない。文芸誌の新人賞がここまで「手作り」感覚になったのは、大手出版社のパトロネージによって文芸を成り立たせる——「批評」においてはなおさら——のが、事実上不可能になったことを意味する。

「読む人」であった漱石が「書く人」となり、同時に「作る人＝編集者」でもあったように、よき批評家はよき読者であると同時に、よき「組織者（オルガナイザー）」にもなりうる。その点、過去に『フリーターズフリー』という雑誌をともに組織運営していた杉田、大澤にとって今回の賞の持つ意味は明瞭なものに思える。

好意的に考えるなら、「すばるクリティーク賞」が目指す「お互いがお互いに『文学』と『批評』を支え合い、また批判し合う同志を見つけ出す」ような関係とは、長谷川郁夫が漱石、子規、虚子に見出した「きわめて私的な、三人の編集感覚のトライアングル」のようなものだろう。一〇〇年後に「国民作家」となることを、漱石が予見していたはずがないが、その最初の作品は「ホトトギス」という小さな雑誌に載ったのだ。

過去の批評史を神話化することより、書く人、読む人、作る人の小さな「トライアングル」を作り出すことのほうが、批評の再生にとってははるかに急務である。

記❖二〇一七年二月

現代におけるフォークロア

村上春樹『騎士団長殺し』

今月は村上春樹の新作『騎士団長殺し』の話をしたい。

私がいちばん注目したのは、新潮社がこの作品を「七年ぶりの本格長編」と謳っていたことだ。『1Q84』の第三巻が出た二〇一〇年以来、ということになるが、それは同時に一三年に文藝春秋から出た『色彩を持たない多崎つくると、彼の巡礼の年』は長編として本格的なものではないということをも意味する。

村上春樹の長編作品は、長らく講談社と新潮社から交互に発表されてきた。『風の歌を聴け』や『1973年のピンボール』を「長編」と呼ぶかどうかは微妙だが、『羊をめぐる冒険』、『ノルウェイの森』、『ダンス・ダンス・ダンス』といった初期の代表作は講談社から刊行されたものだ。だが二〇〇四年の『アフターダーク』を最後に、講談社からの刊行は絶えた（文藝春秋からも『色彩を持たない～』以後、新たな長編は出ていない）。

村上はある時期から、自身を「物語作家」と規定するようになった。その大きなステップボードとなったのが一九八五年に「純文学書下ろし特別作品」として刊行された『世界の終りとハードボイルド・ワンダーランド』である。以後、九四年刊行開始の『ねじまき鳥クロニクル』（第一部～第三部）、二〇〇二年の『海辺のカフカ』、〇九年から刊行が始まり再び三部作となった『1Q84』と、新潮社からは大作が陸続と刊行されてきた。言うまでもなく、これらの作品が村上春樹にとってもっとも重要なラインナップである。

『世界の終り～』から『ねじまき鳥～』までが九年（「新潮」での第一部連載開始までなら七年）、『ねじまき鳥～』完結から次の『海辺のカフカ』までが七年、その次の『1Q84』までもやはり七年、そして今回の『騎士団長殺し』までが同じく七年と、きわめて長いインターバルを正確に守っていることにも注目すべきだろう。足掛け三三年の間に五作という息の長さで、コンスタントに「本格的な長編」が書き続けられてきた事実には、個々の作品の出来不出来を超えて感嘆せざるを得ない。

新潮社が『騎士団長殺し』をわざわざ「本格的な長編」と銘打ち、他社から出た作品と区別することには、以上のような裏付けがある。

ところで、興味深いことに、『騎士団長殺し』には文藝春秋からの前作と同様、「色彩を持たない」という性質を示唆する「免色渉《めんしきわたる》」という名を持ったキャラクターが登場する。その象徴性に読者の注意を喚起するため、作中ではこんなサービス万点の説明さえなされている。

そのときふと免色の名前が「渉《わたる》」であったことを思い出した。「川を渉るのわ、た、る、です」と彼は自己紹介をした。「どうしてそんな名前がつけられたのか理由はわかりません」と。

（第二部三四九ページ）

「からっぽ」な男たちの曖昧な自画像とでもいうべきものを、村上春樹はこれまでも繰り返し描いてきたが、『騎士団長殺し』ではまさに「自画像」が重要なモチーフとなる。本作は揃いも揃って、「顔＝identity」を喪失した男たちの物語なのである。

語り手の「私」は美大を出た後、芸術家としての絵描きの道を選ばず、「肖像画家」という仕事で食べている（『ダンス・ダンス・ダンス』の中の名文句、「文化的雪かき」に相当する）。なぜか彼が描く肖像画はクライアントから評判がよく、それなりに自足した生活を営んでいる。そんなときに突然、彼の人生の根幹を揺るがすような事件が起きる。心当たりもないまま、妻から別れを切り出されるのだ。

さらに興味深いのは、しがない「肖像画」の対極に置かれるのが西洋絵画ではなく、日本画であることだ（本作における最大の意外性は、『騎士団長殺し』と名付けられた作品が、飛鳥時代を舞台にした日本画だという点にある）。

ただし、物語の展開は、ほぼ過去の作品の反復である。謎めいた「依頼」、妻との離別、妻と入れ替わりに現れる若い女性、狂言回し役としてのマンガ／アニメ的キャラクター、異界との秘密の通路、死を超えての再生等々、過去の作品で用いられてきたプロットや手法が忠実に踏襲されるのだ。

語り手の「私」と、本作の主人公といっていい謎めいた青年「免色渉」の関係はあからさまにスコット・フィッツジェラルドの『グレート・ギャツビー』での語り手とギャツビーを模しており、実体化した（＝顕れた）「騎士団長」を「私」が殺す場面も、ジョゼフ・コンラッドの『闇の奥』を踏まえたフランシス・コッポラの映画『地獄の黙示録』のカーツ大佐殺しをストレートに連想させる。

にもかかわらず――あるいはそれゆえか、『騎士団長殺し』はきわめて曖昧模糊とした作品なのだ。要するに、この作品自体の「顔」が不鮮明なのである。

村上春樹の小説は、いかなるジャンルにも収まらない（「純文学」というジャンルも含めて）と同時に、いわばキメラのように、恐怖小説・ファンタジー・ポルノグラフィーといった、さまざまな大衆的な物語の要素を持ち合わせており、それゆえに、多くの読者にリーチできる。つまりこの曖昧さ（顔のなさ、色のなさ）は、村上春樹自身が選び取り、力業で維持している意図的な性質だというべきだ。

そのような物語は、どのように呼ばれるのがふさわしいのだろう。

私は『騎士団長殺し』を読み、次のように考えるようになった。村上春樹が書こうとしているのは、いわば現代におけるフォークロア（民間伝承）のようなものではないか、と。

村上の初期短編に、一九六〇年代を舞台とした「我らの時代のフォークロア——高度資本主義前史」（『ＴＶピープル』所収）という作品がある。ここで思いつきのように使われているフォークロアという言葉は、あんがい村上春樹の作品の本質をうまく言い当てているように思う。

この場でただちに柳田國男論を展開できるほど、私は民俗学に対する知見を持たない。だが村上の小説にしばしば登場する、善悪を超えた存在としての「リトル・ピープル」は、そこから連想される「大衆」や「市民」といった概念のニュアンスよりも、柳田民俗学のいう「常民」の手触りに近い（本作におけるその象徴が、「白いスバル・フォレスターの男」だろう）。

フェミニズム的な言説に対する辛辣な取扱いを見ても、村上の小説はまったく「市民的」ではないが、かといって「大衆的」でもない。どちらの範疇にも収まらない「顔のない」「色のない」存在を現代の「常民（common people）」と名付けるとすれば、彼らこそがいま「村上春樹の小説を読むような人たち」であり、作者自身もそこへ言葉を届けようとしているのではないか。

地下鉄サリン事件後、多くの被害者やオウム関係者にインタビューして書かれたノンフィクションの連作『アンダーグラウンド』『約束された場所で（underground2）』での経験は、村上春樹が平成時代における「常民」にじかに接する格好の機会だったろう。

そうした前提で『騎士団長殺し』を読むと、第二部の結末近くになって、ようやく種明かしのように東日本大震災への言及がある理由がうなずける。

この段階で語り手は、それまで語ってきた出来事がすべて済んだ後の時間を生きている。一時期は自分のもとを離れていた妻とも再び同居し、保育園に通う幼い娘もいる。『騎士団長殺し』

という絵をめぐる一切の出来事から数年たったそのとき、東日本大震災が起きる。この小説のなかで唯一、底深い恐怖と結び付けられている「白いスバル・フォレスターの男」が、宮城県南部の太平洋沿岸という具体的な場所と紐付けられていたことの意味が、このときようやくわかる。

阪神淡路大震災後の『神の子どもたちはみな踊る』と同様、村上春樹は『騎士団長殺し』を、東日本大震災の「震災後文学」として書いた。震災後、東北の被災地では多くの怪異譚が語られたというが、それらはまさに現代のフォークロアに相当する。柳田國男が『遠野物語』で収集・再話したなかに、一八九六（明治二九）年の明治三陸地震による津波を経験した者の話が残されているのは有名だが、同様のことが今回の震災に対しても必要なのかもしれない。

スティーヴン・キングの強い影響のもとで恐怖を主題に小説を書いてきた村上春樹が、震災後に被災地で語られた怪異譚に関心をもっても不思議ではない。震災後の文学のあり方を考えたとき、日本の小説家の多くが『遠野物語』を連想したのはきわめて自然でもある（震災後にいち早く『想像ラジオ』を書いたいとうせいこうも、『遠野物語』を強く意識していた）。

晩年の柳田國男は、自らが興した民俗学を日本一国のものから、世界民俗学へと広げる構想を持っていたという。世界でハルキ・ムラカミが読まれる背景には、古事記とオルフェウス神話の間に見られるような物語構造の普遍性がある。村上春樹の作品をフォークロアの観点から見ることは、この点からも妥当に思える。

『海辺のカフカ』以後、二一世紀に入ってからの村上春樹の作品は、かつて『ノルウェイの森』

をミリオンセラーに押し上げた読者（＝高度資本主義の時代の常民）とは異なる人たち――端的にいえば、より若い読者――に向けて書かれてきた。『海辺のカフカ』や『1Q84』といった作品を通じて、村上は現代の新たな「常民」に届きうる文体を開発してきたと私は考える。

だが今回の『騎士団長殺し』は、むしろかつての読者、すなわち「高度資本主義の時代の常民」に向けて書かれたもののように思える。たとえばそれは、『ノルウェイの森』がベストセラーになって以後、村上春樹を読むのをやめたような人たちだ。

高度資本主義の「前夜」からその渦中としてのバブル経済の狂乱を経て、いまなお長く続く「それ以後」の時代を生き延びてきた村上春樹にとって、その道筋はさながら、本作でも繰り返される黄泉の国への往還とでもいえるものだったはずだ。

だからこそ、『騎士団長殺し』が真の傑作となるためには、第二部における成長物語的な結末ではまったく物足りない。その「前史」までさらに深く切り込んだ続編の執筆を切に期待したい。

記❖二〇一七年三月

ポストモダンの行き止まりとしての「ド文学」

又吉直樹『劇場』

「新潮」二〇一七年四月号に掲載された又吉直樹の長編第二作『劇場』が五月に単行本化される。新潮社としては、村上春樹の『1Q84』のBOOK3や『騎士団長殺し』の第一部、第二部についで歴代二位となる初版三〇万部でのスタートだとも報道されているが、芥川賞を受賞した処女作『火花』が累計で単行本二五〇万部を超え、文庫も三〇万部に達するという実績を見れば、この数字にもさほど驚きはない。発売前の大量増刷がどうやらあだとなり、いまや店頭で野ざらしにされた在庫が目立つ村上春樹の『騎士団長殺し』と見較べると、この四〇年あまりの現代文学のサイクルがひとまわりしたのだな、との感慨を覚えざるを得ない。

どういうことか。もう少し丁寧に説明してみよう。

又吉直樹の『火花』は、一九七九年に書かれた村上春樹のデビュー作『風の歌を聴け』と同様、スコット・フィッツジェラルドの『グレート・ギャツビー』を模した青春小説だった（村上は、それを今回の『騎士団長殺し』でいささかホラー仕立てに「再演」した)。まだ自分が何者でもなかった頃に出会った先達のことを、すでに一切が終り、そのことで語り手自身の「青春」もまた終わった後の視点から回顧形式で語るという形式をとった点で、『火花』はあまりにも古典的な「青春小説」である。同時にそれは、村上春樹以後の日本のポストモダン文学の終りを告げるものでもある。

又吉の『火花』が短期間で二五〇万部を超えたのは、もともとのお笑い芸人としての知名度や、そうした出自の者が「純文学の権威」である芥川賞を受賞したという話題性に負うところが大きい。だがこの作品自体にも、爆発的な売れ方をするだけの性質がそなわっていた。『火花』は「文学作品とはこのようなものであろう」という一般読者の期待に、よく応える内容だったのである。

いったいに日本人は「青春小説」が好きである。それは多くの人が、「文学」を青春時代の記憶(それは実体験だったり、読書経験だったりするが)と結びつけて考えるからだ。「青春小説」とは青春を描いた小説ではなく、すでに去った青春を事後的に回顧する視点から描かれた小説のことだ。『火花』の場合も、語り手の若手芸人・徳永が突然、十数年後に起きたエピソードを語る場面(物語の主人公で、破滅的な生き方をする先輩芸人・神谷の別れた恋人が子どもと歩いているのを見かける)がある。

そもそも神谷は出会ったばかりの徳永に対し、自分の評伝を書くよう求め、『火花』という作品も、その約束を守った徳永によるテキストとして読める仕立てになっている。あらゆる青春小説が「作家の誕生」によって終わるのは、そうでなければ、その者たちの「青春」という体験（それ自体にはとくにオリジナリティもなければ特権的でもない）のみが、なぜ後世に語られるのかということの説明がつかないからだ。

そうした仕立てによる「青春小説」であったがために、多くの読者は「これは文学だ」と、ためらうことなく断じることができた。このような受容のされ方によって文学として認知されてしまうような作品、およびそれを可能とする状況のことを、私は「ド文学」という言葉で表現したい。又吉直樹は、そのもっとも分かりやすい症例であり、その見地から彼の第二作を、やや意地悪い気持ちで待っていた。

『劇場』はいわば、『火花』の神谷に相当するような人物が語った、一種の「自伝」である。『火花』の神谷は、語り手・徳永の視点から客体化され、ある意味では残酷なまでに突き放されて描かれていた。その神谷と徳永が交わす、「お笑い」という芸についての教理問答のようなやりとりが『火花』という物語の全体を貫いている。やがて先輩芸人である神谷を徳永が追い抜くことが示唆され、物語は終わる。

青春小説はしばしば探偵小説の形式をとることを、私は以前に「『鍵のかかった部屋』をいかに解体するか」（同名の共著に所収）という文章で書いた。青春小説とは「青春」の喪失という事件をめぐり、ワトソンのような「語り手」が自ら「探偵」ともなり、その事件をめぐる一切を報告書として記したテキストのことだ。事件の「被害者」は往々にして「探偵」自身であるが、

『火花』では「被害者＝神谷」と「報告者＝徳永」が切り離されており、後者はいわば安全圏にいた。

　一方、『劇場』の語り手・永田が「語る」のは、ひたすら自身のことである。永田は演劇を志す二〇代の若者で、中学時代からの親友である「野原」という男と、売れない劇団を結成している。『劇場』でも演劇論や文学論が登場人物の間でかわされるが、作品全体を貫くのは語り手のエゴであり、それは他の登場人物（ことに「青山コオロギ」という名で小説も書いている青山という女優）を戯画化し、貶めることによって維持される。

「語り手」としての特権性を生かし、永田は自分の主宰する劇団「おろか」を辞めたいといい出した青山の、こんなセリフを書き記す。

「ほら、今出ましたよね、『女の子』って。私のアイデンティティって、それだけ？　結局、永田さんは、その前時代的なフィルターを外せないんですよ？　そういう独裁的なコンセプトしか掲げられない人にはコミットできないんです」

　この生硬な金切り声に対して永田は、彼なりの「演劇観」に基づいて、「演劇」とはそういう「一般論」を超えたところにある、と反論する。

　興味深いことに、永田の青山への反論は、いまトランプ政権下や安倍政権下でおきている「ポストモダン」へのバックラッシュと同一の構造をもつ。つまり青山のいうようなフェミニズムなりポリティカル・コレクトネスなりアイデンティティ・ポリティクスなりを背負った主張は「一般論」にすぎず、演劇（この作品では、ほぼ「文学」とイコール）はそれらを超えたところにある、と永田は言うのだ。

日本の現代文学におけるポストモダンは、一九七六年の村上龍の『限りなく透明に近いブルー』と、一九七九年の村上春樹の『風の歌を聴け』の二作によって幕を開けた。後者と『火花』の類似は明らかだが、前者とも共通するものが多い。なぜならこの作品もまた、「観察者＝報告者」であるリュウと、（のちに「作家」となるであろう）リュウに記録されることによってのみ伝えられる、他の破滅的な若者たち（いわば複数の「神谷」）という役割分担による、典型的な「青春小説」だからだ。

ただ一つ、村上龍にあって又吉直樹にないのは情景描写だ。優れた描写力を持つ村上龍をポストモダン文学のうちに含めるべきかどうかが微妙なのは、「描写の不在」こそが日本におけるポストモダン文学の最大の特徴だからだ。

又吉直樹の小説は、情景描写の不在（不能）という特徴において、典型的なポストモダン文学である。と同時に、ポストモダン文学が振り捨てたはずの日本近代文学（ことに私小説的な自然主義リアリズム）の特権性を、あられもなく取り戻そうとしている。その両者の特徴を持った小説のことを、私は「ド文学」と名付けたい。

又吉直樹の登場は、一九八〇年代から九〇年代にかけてのポストモダン思想やそれと随走してきたポストモダン文学に対するバックラッシュであり、同時にポストモダンの行き詰まりの象徴でもある「ド文学」の、もっともわかりやすく、もっとも深刻な「症例」なのである。『劇場』には、永田がヒモ状態で居候している恋人の沙希の部屋で、プレイステーションのサッカーゲームに興じる場面がある。永田はサッカーに疎いため、選手たちに「文豪」の名を与えている。「芥川」「太宰」がツートップ、中盤は「漱石」と「三島」、サイドには「中原中也」と「泉鏡花」、そしてゴールキーパーが「井伏鱒二」。あまりにも他愛のない、中学生レベルの「文学史」がそこにある。

日本でポストモダン文学の実験をもっとも徹底的に推し進めた作家、高橋源一郎の第二作『ジョン・レノン対火星人』で、「井上光晴」や「野間宏」や「小林秀雄」といった(きわめて「文学史」的存在の作家)があたかもゲームのコマのように扱われていたことを、私は『劇場』のこの場面を読んで思い出した。

又吉直樹が意図的に高橋源一郎のスタイルを取り入れたのか、偶然の一致なのかはどうでもよい。又吉の「文学」に向ける意識が、きわめてポストモダンなものであることは、この一事からも明らかだ。にもかかわらずと言うべきか、だからこそと言うべきか、「演劇」をめぐる物語であるはずの『劇場』は、実際には「文学」をめぐる教理問答で埋め尽くされている。

のちに「青山コオロギ」(このペンネームは吉本ばななや山崎ナオコーラといった「ポストモダン」な女性作家をただちに想起させる)としてデビューした青山の作品に対して永田が投げかける侮蔑の言葉は、そのままポストモダン文学への悪罵でもある。しかし実は、それを書く又吉自身が、深くポストモダンの病弊に取り込まれている。だとすれば、文学観における対立的な見かけとは異なり、実は青山と永田は表裏一体の存在といっていい。

又吉直樹は青山を（「女性」としては魅力的だが）才能においてはきわめて凡庸な存在として描いているが、彼女の凡庸さは、実は永田の凡庸さと釣り合っている。しかし「ポストモダン」な青山と、母親のような包容力を持ち永田を決して傷つけない「プレモダン」な恋人の沙希の間に置かれることで、永田は安々とコスプレとしての「近代文学」の演技を演じてしまう。これが「ド文学」を可能とする遠近法であり、詐術である。

ところで、『劇場』の舞台となるのは東京の下北沢という町である。この町には「北沢川」という川が流れており、永田と沙希のぎこちない恋愛は、この川の流れを背景に描かれる。しかしこの「北沢川」は、実はかつての用水路を暗渠とした上に作られた、人工の川なのである。「ド文学」が演じられる舞台として、北沢川の緑道はあまりにも似つかわしい。

記❖二〇一七年四月

「中核市のリアリズム」が出会った王朝物語

佐藤正午『月の満ち欠け』

八戸の中心市街地にできた八戸ブックセンターを先月末に訪れる機会があった。市民が多様な本と接する機会が失われていることに危機感を抱いた現職市長がイニシアチブをとり、図書館でも書店でもない第三の役割をはたすべく昨年（二〇一六年）暮れに立ち上げた市営の図書施設で、本を展示・販売するほか、ギャラリーや執筆スペースがある。

八戸市は青森県内で二番目に大きな都市（人口二二万八〇〇〇人）で、二〇一七年一月に中核市に指定されたばかりだ。「中核市」とは人口二〇万人以上、かつ政令指定都市ではない都市で、現在、全国に四八ある。県庁所在地を除くと、旭川、函館、八戸、郡山、いわき、高崎、川越、越谷、柏、船橋、八王子、横須賀、豊橋、豊田、岡崎、豊中、高槻、枚方、東大阪、尼崎、西宮、姫路、倉敷、呉、福山、下関、久留米、佐世保の二八都市が残る。

人口二〇万人を超えていても中核市としての指定を受けない自治体もあるが、これらの都市は、それぞれ地域圏で経済だけでなく文化の「中核」としての役割も期待されているに違いない。しかし現実には、中核市レベルの集積度では、その文化環境は政令市に遠く及ばない。私自身、千葉県の船橋で一〇代を過ごしたので、そのことはよく知っている。中核市で最大の人口約六三万人を擁する船橋市でさえ、文化的にはさして見るべきものがないのである。

なぜ八戸の話から始めたかといえば、八戸ブックセンターを取材した際、この地方都市出身の人物を主人公とする、佐藤正午の二〇年ぶりの書き下ろし長編『月の満ち欠け』を手に入れ、帰りの新幹線で一気に読了したからである。

佐藤正午は一九八三年にすばる文学賞を獲った『永遠の1／2』での鮮烈なデビュー以来、エンターテインメントと隣接する領域で活躍してきたためか、それとも地方在住というハンデキャップゆえか、知名度のわりに文学賞の受賞には恵まれてこなかった。『個人教授』で一九八八年の山本周五郎賞候補に、『身の上話』で二〇一〇年の日本推理作家協会賞候補にノミネートはされたものの、いずれも受賞を逃した。『鳩の撃退法』での二〇一五年の山田風太郎賞が、新人賞以来、初の受賞である。

この上下巻の大作で佐藤正午の存在を久しぶりに思い出し、次作への期待が高まっていた矢先、八戸で私はこの本にばったり出会ったのだった。

ちなみに佐藤正午の出身地で、現在もそこに住みつつ執筆活動をしている佐世保市（人口二五万人）も昨年四月に中核市に指定されたばかり。佐藤がこの物語の主人公を八戸出身としたのは、担当編集者が八戸出身だからだそうだが、九州西部の大きな港町・佐世保とよく似た場所を東北地方で探すなら、八戸はうってつけだろう。政令指定都市でも県庁所在地でもないが田舎ではない中途半端な地方都市は、佐藤正午の小説の舞台に実にふさわしい。

『月の満ち欠け』の主人公、小山内堅は八戸出身で現在もそこに暮らしている。しかしこの小説のメインプロットは東京駅に隣接するホテル内を舞台に、わずか二時間の出来事として展開する。堅は一五年前に交通事故で妻と娘をともに亡くしており、娘の高校時代の親友でいまは女優となった緑坂ゆい、その娘るりと会うために新幹線で八戸から東京までやってきている。

堅と妻の梢は、八戸高校では先輩後輩の関係にあった。堅は高校を卒業すると東京の私大に通い、遅れて同じ大学に入学しサークルで親しくなった梢と付き合い始める。堅の就職後、転勤先の福岡で二人は結婚し、ひとり娘の瑠璃がそこで生まれた。

東京勤務に戻って千葉の稲毛に住むようになった頃、七歳になった娘が高い発熱を起こす。快癒はしたものの、それ以後、瑠璃の言動に異変が起きる。小学二年生なのに黛ジュンの大昔の歌謡曲を歌ったり、デュポンのライターに詳しい知識をもっていたり、〈君にちかふ阿蘇の煙の絶ゆるとも萬葉集の歌ほろぶとも〉という吉井勇の短歌を漢字の練習帳に書き留めたりするのだ。このあたりの展開はいささかホラー小説じみている。

そんな娘の異常に気づいた妻の梢は夫に対応を促すが、堅はとりあわない。そうこうするうちに、瑠璃はひとりで高田馬場のビデオ屋まで出かけようとし、駅で保護される。堅は瑠璃に、高校を卒業するまでは二度とこういうことをしないと誓わせる。

堅が妻子を同時に失った一五年前の交通事故は、高校の卒業式を済ませたばかりの瑠璃とともに、梢が親友の弟である三角哲彦という男に会いに向かう途上で起きた。娘の瑠璃が哲彦の恋人だった正木瑠璃の生まれ変わりであり、哲彦との再会を果たすため輪廻転生したことを確かめようとしたのだ。

小山内瑠璃は実際にはまだ会ったことのない哲彦の肖像画を、高校時代にひそかに描いていた。小山内堅はその絵を緑坂母娘に見せるため持参している。絵のモデルが本当に自分かどうかを確認するため、哲彦も東京駅での面会にやがて合流するだろう。東京駅近くのホテルで二時間という時間が進む合間に、四人の「瑠璃」たちをめぐる数奇な物語がフラッシュバックのようにさし挟まれる。

一九七〇年代後半の早稲田界隈を舞台にした三角哲彦と正木瑠璃の恋の物語は、すべての出来事の発端であり、この小説における一種の「神話」である。幼い瑠璃が行こうとした高田馬場のビデオ屋は、かつて哲彦がアルバイトしていた店であり、そこで哲彦は正木瑠璃と出会った。小山内の娘が記憶していた吉井勇の短歌は、哲彦が正木瑠璃に捧げたものだ。

小山内瑠璃が交通事故で亡くなった後、「希美」という少女に再び転生が起きる。そして彼女の物語は実にやりきれない結末に至る。「希美」が正木瑠璃の生まれ変わりであることに気づくのは、瑠璃の元夫である正木竜之介だ。ちなみに彼が生まれたのも船橋、すなわち、のちに中核市となる地方都市という設定である。

妻の突然の死後、自暴自棄になって一度は人生を棒に振りかけた竜之介を救ってくれたのは、船橋市内の工務店の社長だった。その娘の「希美」はなぜか、竜之介にすぐに懐く。そしてある日、自分の名前は本当は「瑠璃」になるはずだったのだと告げる。「希美」が妻であった瑠璃の生まれ変わりだと悟った竜之介は、ある事件の末にこの少女を死に至らしめてしまう。そして「希美」の死後、三度目の転生が緑坂ゆいの娘るりとして起きるのだ。

本作では親から子へと子孫を残す、いわばファミリーツリー型の命の連鎖に、同一の存在が幾度も転生を繰り返す「月の満ち欠け」のような連鎖が対置されている。樹木のような死と、月のような死、どちらかを選ぶならば後者を選ぶ、と宣言した正木瑠璃は、そのようにして死に至り、約束どおり三度の転生を繰り返す。

転生というモチーフを持つ現代文学の優れた先行作品としては、三島由紀夫の『豊饒の海』四部作がただちに思い浮かぶが、この連作も「月」をモチーフとした物語だった。「豊饒の海」とは月面にある「海」と呼ばれる広い盆地の一つであり、一般的には「豊かの海」と呼ばれる。明治から昭和に至る近代日本を舞台に、三島が大がかりに仕掛けたこの輪廻転生の物語が、平安時代の「浜松中納言物語」を典拠にすることもよく知られている。

佐藤正午は『月の満ち欠け』のなかに、吉井勇の歌ともう一つ、〈みづからは半人半馬降るものは珊瑚の雨と碧瑠璃の雨〉という与謝野晶子の歌を組み込んでいる。最初の「瑠璃」すなわち正木瑠璃が高校生の頃、数学の教師から名前に因んだ歌として教えられたものだ。この数学教師は瑠璃をひそかに気に入っており、性的なアプローチの意味も込めてこの歌を彼女に教えた。二つの近代短歌の挿入は、この小説が三島由紀夫を経由しつつ、「浜松中納言物語」にも接続しうることを示している。

こうした中世王朝物語的な想像力を、八戸や船橋といった中核市の乾いた風土にどのようにビルトインするか。佐藤正午はこの小説で、そのことに挑んだのではないか。女たちが輪廻転生を体現あるいは事実として認識するのに対し、小山内堅や三角哲彦といった男たちは当初、きわめて懐疑的に振る舞う。しかしある真実を知ったことで、少なくとも小山内堅には態度変更が生じる。小山内が東京から八戸に戻るとき、「瑠璃」たちの陰に隠されたもう一つの「転生」が、この小説の主題に深く関わっていたことが明らかになる。

そういえば村上春樹の『騎士団長殺し』も小田原という地方都市を舞台にしていた。小田原は人口が二〇万人を割り、現在は中核市に準ずる「特例市」として位置づけられている。『月の満ち欠け』と『騎士団長殺し』には類似点も多い。優れた二人の小説家は、いまの日本で普遍性をもつ小説を書こうとする場合、どこを突破しなければならないかを熟知しているように思える。そのための舞台として、佐藤は中核市レベルの地方都市を選んだ。

なぜなら、そこには日本でもっともオーディナリーな人々が住んでおり、それは「小説」のもっともオーディナリーな読者層でもありうるからだ。絲山秋子が高崎という、やはり中核市のリアリティに依拠し続けているのも同様の理由だろう。東京の吉祥寺や下北沢や高円寺といった、書割のような文化的小空間を舞台に「文学」をコスプレする又吉直樹の「ド文学」より、中核市のリアリズムを手放さない佐藤正午の「小説」のほうが強度において優るのはなぜか。そのことを考えるところからしか、現代文学の再生はありえない。

もちろん「中核市のリアリズム」も、「ド文学」と同様、単なる私の思いつきである。佐藤正午にしてみれば、こんな言い方は迷惑だろう。しかし、こうした乱暴な解析装置を使わなければ、芥川賞や直木賞といったスターシステムのみに依存した現在の異常な文学観・小説観は更新できない。

佐藤正午にはいつまでも、佐世保の地を離れずに書き続けてほしい。高崎で書き続ける絲山秋子や、中核市ではないが東京を遠く離れた仙台で書き続ける伊坂幸太郎のように。それは決して孤独な戦いではないのだから。

記❖二〇一七年五月

日本を迂回して世界文学へ

東山彰良『僕が殺した人と僕を殺した人』

一九八四年の台北、廣州街。ローティーンの少年ユン（鍾詩雲）、ジェイ（沈杰森）、アガン（林立剛）とその弟ダーダー（林立達）は喧嘩や盗みといった他愛ない悪事に明け暮れながらも、一〇代ならではの牧歌的な日々を送っていた。ある日、一つの殺人計画を立てるまでは——。

東山彰良の新作『僕が殺した人と僕を殺した人』は、彼らがまだ少年だった一九八〇年代半ばの台湾でのエピソードと、その三〇年後の後日談として、二一世紀初めのアメリカ合衆国で起きた連続少年殺人事件のエピソードが交互に語られる。殺人事件の容疑者は「サックマン」と呼ばれ、すでに逮捕されている。この男は何者で、その動機は何か。台湾とアメリカが時を超えて物語の舞台として結びつくのはなぜか。こうした謎解きの要素を持つ本作は、東山がここ数年の間に書き継いできた一連の傑作群の集大成といえる。

二〇一五年に発表した『流』で、台湾国籍を持つ三人目の直木賞受賞作家となった（過去に邱永漢『香港』、陳舜臣『青玉獅子香炉』の例がある）東山彰良の本名は王震緒。一族は中国山東省の出身で、祖父は抗日戦に参加したという。国共内戦に敗れた国民党とともに一族が逃れた先の台湾で東山は一九六八年に生まれ、九歳からは日本で育った。

二〇〇二年に『逃亡作法～TURD ON THE RUN』でデビューした後、二〇〇九年に『路傍』で大藪春彦賞を受賞したものの、多芸多才な反面、作家としての太い幹がいまひとつ見えづらかった東山彰良が、現在に至る新境地を切り開いた転回点は、二〇一三年に発表された『ブラックライダー』だった。

小惑星の衝突で地球の自然環境が激変し、人類文明が巨大な転換を余儀なくされた「六・一六」と呼ばれる出来事の後、二二世紀の北米では食糧不足もあって人肉食の習慣が蔓延している。人肉食を禁じる「ヘイレン法」の施行後、牛と人間の混血生物「ロング・ホーン」が食用に開発されるが、そのなかから知性をもつ個体が生まれてしまう。

こうした混迷のなかで登場した救世主「ブラックライダー（黒騎士）」ことナサニエル・ヘイレンの伝説を背景に、どこかコーマック・マッカーシーの『ザ・ロード』を思わせる黙示録的な世界が描かれる。二〇一六年には『ブラックライダー』では明示されていなかったヘイレンの生涯を、ある人物がまとめた書物という体裁で綴られた前日譚『罪の終わり』も刊行された。

北米を舞台とするこれらの作品と並行して、東山は自身のルーツである台湾と中国大陸を舞台にした物語に挑みはじめる。その最初の達成が直木賞を受賞した『流』だった。

中国国民党の総統、蒋介石が死去した一九七五年を起点に物語は始まる。この年、主人公・葉秋生の祖父・葉尊麟が風呂のなかで殺害される。祖父の遺体の第一発見者となった秋生は、犯人を推理する過程で多くのトラブルに巻き込まれつつ、受験の失敗や兵役の経験を経て大人になっていく。

『流』には二〇世紀後半の中国・台湾・日本の複雑な関係が見事に織り込まれている。バブル経済期の日本が、秋生の出張先（千葉の八街まで落花生を取引しにやってくる）での情事や、この時代に流行った中森明菜の「セカンド・ラブ」という曲によって表象される一方、台湾と大陸との緊張した関係は、失踪した叔父を追って秋生が山東省のある村を訪れたときにクライマックスに達する。

この地には殺害された秋生の祖父・葉尊麟を、村民に対するかつての大量虐殺の犯人として弾劾する石碑が立てられているのだが、その虐殺の背景には、日本の大陸侵略がある。しかし台湾と大陸、国民党と共産党、そして本省人と外省人というかたちで引き裂かれた「彼ら自身の物語」のなかでは日本は精彩を欠いた脇役に過ぎない。

『流』はテーマこそ重たいものの、軽妙な語り口で綴られたサリンジャー風の「成長小説」でもあり、台湾から（日本を迂回して）世界文学にダイレクトに接続している。そんな東山作品を私は「チャイニーズ・ゴースト・ストーリー・ミーツ・マジックリアリズム」とでも呼んでみたい気持ちになる。

その姉妹作である今回の『僕が殺した人と僕を殺した人』では、日本の存在はさらに後景に退いている。台湾に住む者にとって、日本が表象するものは多義的だ。中国本土で苛烈な抗日戦を戦ったのち国共内戦に敗れて台湾にやってきた外省人と、外省人による台湾支配の強権性（その象徴が一九四七年に起きた「二・二八事件」と呼ばれる大量虐殺事件）を厭い、むしろ日本統治時代を懐かしむ本省人との間でさえ、「日本」のイメージは引き裂かれている。

この物語は、台湾がまだ戒厳令下（解除は一九八七年）にあった時代が舞台である。国家権力へのダイレクトな言及はないかわりに、台北の街を支配するもう一つの力、つまりヤクザ、チンピラ、不良少年のネットワークが緻密に描かれることで、ユンやジェイ、アガンの生きる世界が生易しいものではないことが告げられる（だから三人は大きな決断を迫られるたびに、「三国志」の豪傑の一人である関羽を祀った廟で神託をする）。

牛肉麺屋、蛇屋、床屋といった街（小巷）に根ざした商売や、「布袋劇」と呼ばれる伝統的な人形劇が当時の台湾の下町の雰囲気を鮮やかに描き出す。そしてこれとは対照的に、この作品では一九八〇年代という時代を象徴するものとして、アメリカ音楽を始めとするさまざまなポップカルチャーも名指される。そのなかでも大友克洋の『ＡＫＩＲＡ』というマンガ作品が、いささか特権的ともいえる役割を担わされているところでのみ、日本の姿がくっきりと姿を現すのが皮肉である。

日本に住んでいる叔父から送られてくるマンガ週刊誌で『ＡＫＩＲＡ』を「こつこつ読み解いた」ユンは自分なりにその世界観を取り入れた物語を綴っている。

ぼくが描いていたのは、ネオ東京のような混沌とした街で起こる殺人事件の話だった。お兄さんを殺された弟が冷星《コールド・スター》という悪のヒーローになり、考えうるもっとも残忍な手口で犯人たちを血祭りにあげていく。

この物語がひとたびはユンを助ける。神前で演じられる「布袋劇《ポウテヒ》」の人形師である友人ジェイの祖父が倒れてしまい、その代わりを勤めようとしたユンは、この物語をアドリブで演目にすることで窮地を切り抜けるのだ。

だがユン自身も兄をある事件で失っており、そのことが彼の心の底で大きなトラウマになっている。この物語は、やがてユン自身の身を滅ぼすことになるだろう。

ユン、ジェイ、アガン、ダーダーたちがローティーンだった時代から三〇年以上を経て、かつての憧れの地アメリカは衰退している。『流』でも『僕が殺した人と僕を殺した人』でも、台北の不良少年たちは大きくて派手なアメリカ車に憧れていた（ポンティアックのファイヤーバードがその象徴だ）。

だがアメリカ自動車産業の聖地だったデトロイト（そこはモータウン・サウンドの故郷でもある）も、二一世紀の初めには「ほとんどゴーストタウンと化している灰色の街並み」でしかなく、「およそ非アメリカ人がアメリカと聞いて想像するものの正反対」に位置するものとなっている。

一九八〇年代の台北と現在のデトロイトを結びつけるものは、他に楽しみをもたない少年たちが興じるヒップホップのブレイクダンスの大技「ウィンドミル（大風車）」をのぞけば、「サックマン」と呼ばれる犯人による連続少年殺人事件だけなのだ。

『僕が殺した人と僕を殺した人』で描かれるアメリカは、二二世紀の北米大陸を舞台とする『ブラックライダー』や『罪の終わり』で描かれた「六・一六」による黙示録的なリセットを歓迎してもおかしくないほど荒廃しきっている。しかし本作は、『ブラックライダー』や『罪の終わり』がそうでないのと同様、アメリカを描こうとした小説ではない。

これらの作品から現代日本の姿が慎重に排除されているのは、東日本大震災後に日本を舞台とした小説を書くことが困難だからではなく、日本を描かないことによってこそ、現代社会の姿がくっきりと浮き彫りにできる、という判断によるのではないか。私にはそう思えてならないのだ。「日本」とその外部、あるいは「日本人」とそれ以外といった二分法よりはるかに深いところで東山彰良が思考していることは、『ブラックライダー』における「知性をもった人と牛の混血生物」というキャラクター造型からも明らかだ。

ウサギを主人公とする寓話『ジョニー・ザ・ラビット』でも、東山の作品に繰り返し描かれてきたチンピラや弱者、つまり「小さき者たち」のどうしようもない二面性が、人間に愛玩されつつ、狩られる対象でもあるウサギという生物に仮託した「ウサギ的リアリズム」とでも呼ぶしかない手法で見事に描かれていた。そしてこの小説は、原子力発電所というシステムが一種の「神学」を生み出していることを、東日本大震災前から予言してもいた。

『ブラックライダー』はほとんど、ウサギを牛に置き換えたかたちでの『ジョニー・ザ・ラビット』の壮大な再話といってもいい。そして、人と人ならざる者との関係は、「日本人」とそれ以外との関係でもある。

人間を描くために人間ならざる者を描き、日本と日本人が置かれている世界の真実を描くためにも、まったく日本人の登場しない物語を描く――東山彰良の最近の一連の作品からは、そのような決意さえ感じる。人間とは何かを描くことが小説の究極的役割だとすれば、その核心に迫るためにあえて「その外」を描くという東山彰良の手法は、いよいよ凄みを帯びてきたように思える。

この連載の前回で、佐世保を拠点に書き続けている佐藤正午のことをとりあげた。東山彰良も東京に居を構えず、福岡県小郡市に生活拠点を置き、精力的に小説の執筆を行っている。中国語の通訳として警察や入国管理局で働いた経験もある東山にとって、日本の中心地を離れたところからアジア圏を、さらにはグローバリゼーションの行き着く先の人類文明の全体を見据えるのは、ごく自然なことなのかもしれない。

記❖二〇一七年六月

「震災後」の現代文学の見取り図

限界研：編『東日本大震災後文学論』
「文藝」二〇一七年・秋季号

日本の現代文学の輪郭は、ずいぶんぼんやりしたものになってしまった。年に二回の芥川賞・直木賞でいくら盛り上げようとも、そこで名を上げた作家たちが全体として、どのような「場」を構成しているのかをイメージすることは、一般読者にはまず無理である。

それでも現代文学の全体像をなんとか指し示そうとする場合、そのための言葉として、もっとも流布しているのが「震災後文学」という言い方だろう。

この言葉を最初に著作に用いたのは日本文学研究者の木村朗子で、二〇一三年一一月に『震災後文学論〜あたらしい日本文学のために』が刊行されている。最近も若手批評家の飯田一史、杉田俊介、藤井義允、藤田直哉らが集う「限界研」の編纂による大著『東日本大震災後文学論』が出た。

言うまでもなくこれらは、「戦後文学」という言い方と同様、あの「震災（東日本大震災）」を日本という国家が全体として遭遇した出来事として捉える視点に立っている。もちろんここでいう「震災」には、同時に起きた人災としての福島第一原発事故も、とくに言挙げすることなく含意されている。つまり「震災後文学」とは、「東日本大震災および福島第一原発事故以後文学」という範疇を作り出すことで、明治以後の日本文学史に「現在」の文学を接続させようとする試みといえる。

　しかし「戦後文学」と同じような重みで、現代文学を「震災後文学」として位置づけることは本当に可能なのか？　そのような「日本文学史」を仮構すること自体、すでに無効になってしまったのではないか。「文藝」二〇一七年秋季号が「１７６人による」と銘打って試みた「現代文学地図《シーン》２０００↓２０２０」という特集を読んで、そんなことを考えさせられた。「文藝」のこの特集は、以下のパーツから成る。二大特別座談会と銘打った「いま、文学を語るということ」「来るべき作家たち」、批評家・翻訳家・文学研究者・文芸編集者・新聞社／通信社の文芸担当記者など三八人が寄稿した「来るべき作家たち２０２０」、書店員・図書館員・ライターなどまで回答者の範囲を広げた一三二人による同名のアンケート、さらに特別付録として「現代文学地図《シーン》２０１７」「現代文学地図《シーン》２０２０」という見取り図チャートまでが用意されている。

　二〇〇〇年から二〇一七年までの「過去〜現況」を担当する「いま、文学を語るということ」には、批評家の佐々木敦、評論家の栗原裕一郎、米文学研究者の小澤英実が参加。司会と構成は共同通信文化部記者の田村文。二〇二〇年までの「未来」を受け持つ「来るべき作家たち」では、フリーライターの江南亜美子、ライター・書評家の倉本さおり、批評家・ライターの矢野利裕が参加。司会は佐々木敦が務めているが、構成者のクレジットはない。

前者の座談会から顔ぶれを見ていこう。佐々木は二〇一六年に講談社現代新書から『ニッポンの文学』を出しており、演劇、映画、音楽、思想など幅広い批評対象のなかでも現代文学を一つの軸に置いてきた。栗原裕一郎は日本推理作家協会賞を受賞した二〇〇八年の『〈盗作〉の文学史――市場・メディア・著作権』という著作があり、現代文学についても一家言ある論客。もう一人の小澤英実は、ピュリツァー賞・全米批評家協会賞などを受賞したアメリカ人作家、エドワード・P・ジョーンズの『地図になかった世界』という訳書がある。小澤がこの座談会に起用された理由はよくわからないが、佐々木の見取り図に栗原が絡み、世界文学のシーンを見据えつつ小澤が相対化する、という役割分担になっているようだ。

後者の座談会の顔ぶれも見よう。江南亜美子は『日本文学にみる純愛百選』というアンソロジーに寄稿しているのみで単著はない。倉本さおりも文芸誌ほかで書評家として活躍するが単著はまだない。矢野利裕のみが群像新人文学賞評論部門優秀作を受賞した経歴と、ジャニーズ論など音楽関係の単著・共著を持つ。現代文学のなかでもっとも新しい世代の作家たちをきちんと読み込んでいる書き手として、この三人が「未来」担当に起用されたことはよく理解できる。

ところで、細かなことを言うが、前者の参加者が「批評家」「評論家」「文学研究者・翻訳者」で、後者の参加者が「フリーライター」「ライター・書評家」「批評家・ライター」と名乗っている（あくまでも「文藝」編集部がつけた肩書だが）ことが気になった。「文芸評論家」も「小説家」も登場しない「文学」をめぐる座談会とは奇なもので、こんなところからも現代文学の「未来」に対する賭け金の少なさを感じざるを得ない。専任評論家の役を誰も買って出る気がないのである。

参加者の名前は、特別付録の「地図作成」担当者としてもクレジットされている。つまり二つの座談会自体が、このチャートを作るための「ネタ出し」という観が強い。ならば座談の内容には踏み込むことなく、その結果をまとめたと思しきチャートを見たほうが話が早い。

どちらのチャートも同じように四象限に分かれている。タテ軸の上が「社会」で下が「個人」、ヨコ軸は左が「物語」で右が「言語」であり、四象限はそれぞれ「新たな問題圏の発見と、その批判」（左上）、「新しいイディオム、新しいヴィジョン」（右上）、「〈私〉の拡張と世界の変容」（左下）、「言葉の運動をアップデートする」（右下）と名付けられている。

こうした地図づくりは遊びとしては面白いし、現役の作家たちをこの見取り図の上に配置してみたらどうなるか、という試みそのものはとくに批判しない。ただし、分析の枠組みは「個人」対「社会」、「物語」対「言語」（＝前衛性・実験性）というオーソドックスなものでしかなく、このチャートから浮かび上がるのは、現在の「文壇」における新旧作家の暫定的な配置図以上のものではない。

さらに詳しく見てみよう。二〇一七年のチャートで、タテ軸ヨコ軸の交点、すなわち中心部に鎮座するのは村上春樹である。ただし村上の名前だけが破線で囲われており、背景にも色が塗られていない。日本の現代文学において、村上春樹の存在が一つのパラダイムを規定していることは間違いないが、それはあくまでも「虚」の中心である、ということだろう。取り上げられている作家たちのなかでもっとも売れ、世界的にも評価されている作家が、「現代日本文学」の見取り図のなかでは「虚」の中心になってしまう。その一点で、このチャート自体がきわめてフィクショナルなものだということを示している。

二〇二〇年のチャートでは、この中心部に村田沙耶香が据えられている。正直に言えば、これにはかなり驚いた。たしかに村田の芥川賞受賞作『コンビニ人間』は、そこそこの実験性をもつ現代文学にしてはめずらしく多くの読者を獲得した。私はまったく同意しないが、彼女を「文学の未来」の〝可能性の中心〟とみなす見方は、かなり広範に共有されているようだ。

もう一つ、二〇二〇年の見取り図には顕著な特徴がある。それは作家の配置が、二〇一七年の現在に比べて左右両極に分離していることだ。とりわけ左端には大量の作家がかたまっており、「物語」への回帰が進んでいることがわかる。

もっとも手薄なのは「社会」と「言語」がカップリングされた右上の「新しいイディオム、新しいヴィジョン」で、ここには詩人でもある最果タヒと、高橋ブランカの二人しか配置されていない。

対照的に、右下の「個人」と「言語」、すなわち「言葉の運動をアップデートする」のグループには、左端と同じくらい多くの作家が挙げられている。今回の特集では、この右下グループに「未来」が期待されているようなので、ここに配置された作家の名はすべて挙げておこう。

もっとも右下にいるのが「言語的前衛」と名づけられた木下古栗、青木淳悟、乗代雄介の三人。

その少し上に、坂口恭平、荻世いをら、高尾長良、松波太郎の「肉体言語系」が配置され、左側に横山悠太、太田靖久、藤田貴大、雪舟えまが並ぶ。その上には「母国語と外国語のはざま」とネーミングされた温又柔、李琴峰、楊逸が置かれている。

改めていうが、こうした見取り図から浮かび上がる「言語的前衛」と「物語」の対立は、文学的な風景としては目新しいものではない。むしろ文学的中間層（私は、それをこそが「小説」だと思うのだが）の没落とでもいうべき事態が発生しており、ポピュラリティーと実験性をそこそこ兼ね備えた作家が『コンビニ人間』の芥川賞受賞でブレイクした村田沙耶香ぐらいしか見当たらない。このことこそが、現在の文壇風景の侘しさを物語っている。

ところで、冒頭に紹介した『東日本大震災後文学論』に依拠する一連の批評家たちは、こうした見取り図に根底から異議を申し立てているかのようだ。同書には「震災後」の純文学も数多く取り上げられているが、ここで「文学」とされるものは純文学にとどまらない。エンタメ小説やミステリー小説の作品も、映画『シン・ゴジラ』を筆頭とする特撮やアニメーション作品も、「文学」の候補としてここでは等しく議論の対象となる。

細かな論点には立ち入らないが、「文藝」の座談会のうち前者の「いま、文学を語るということ」のほうでは、「文学とはなにか」という議論が単なる制度論、つまり文芸誌に掲載され芥川賞の対象となる作品といった側面からのみなされており、「純文学」以外の文学の可能性が一切忘却されている。これは『東日本大震災後文学論』に集った批評家たちの立場とは対照的だ。限界研の自発的な活動と比べると、この座談会は文芸誌限定の「お座敷芸」以外の何物でもない。

ただし「震災後文学」という言葉は、あくまでも作業仮説であるべきだ。そして、その試みが文学史的に意味をもつとしたら、「物語」と「前衛」、あるいは「純文学」と「エンターテインメント」という古典的で安定した見取り図そのものを破壊し、無効にするものとしてだろう。「文藝」の特集は、一七六人もの書き手に声をかけておきながら、結果的には凡庸な天気予報図とでもいうしかない、無残な文壇チャートしか作ることができなかった。

文学の「未来」がそのようなところから見えてくるとは、私にはとても思えない。私たちの社会を見舞ったあの「想定外」の出来事が教えてくれたのは、未来は現在の延長線上には存在しないという、ただそのことではなかったか。

記❖二〇一七年七月

自分自身の場所を確保せよ

レベッカ・ソルニット『ウォークス——歩くことの精神史』

東日本大震災のあとに小説が読めなくなった時期があった。ノンフィクションあるいはエッセイならば読めるのだが、純然たるフィクションが読めない。そんな時期は半年くらい続いたように思う。

レベッカ・ソルニットの『災害ユートピア——なぜそのとき特別な共同体が立ち上がるのか』という本に出会ったのは、まさにそのときではなかったか。いまでは記憶が定かではないが、少なくとも震災後の私の書棚には、すでにこの本があった。柄谷行人がこの本について好意的な書評を朝日新聞に書いたのは二〇一一年二月六日のことで、それに影響されたのかもしれない。

二〇一〇年の暮れに邦訳版が刊行されたこの本は、二〇〇五年にニューオリンズを襲ったハリケーン・カトリーナがもたらした大水害、二〇〇一年のニューヨークほかでの同地多発テロ（いわゆる「九・一一」）、一九八五年のメキシコシティ大地震、一九一七年にカナダのハリファックス港で起きた大爆発、そして一九〇六年のサンフランシスコ大地震といった、この一〇〇年間の間に起きた大災害をケーススタディとしつつ、これらの被災地に相互扶助的でユートピア的な共同体（原題は「A Paradise Built in Hell」）が自然発生した経緯について綴った本である。同書は東日本大震災後にもたびたび参照され、ソルニットの名が日本で広く知られる契機となった。

ただし『災害ユートピア』は巻末解説を欠いており、著者の人となりがよくわからなかった。日本でのソルニットの位置づけも、ノンフィクション作家なのかアクティヴィストなのか、それとも社会学者なのか判断に迷うところがあり、どこか微妙なものだった。

『災害ユートピア』よりさらに前、二〇〇〇年に書かれた『Wanderlust：A History of Walking』という本が『ウォークス――歩くことの精神史』と題して刊行されたことで、ようやくレベッカ・ソルニットという書き手のもう一つの側面――いわば「文学者」としての――が見えてきた。「歩くこと」にまつわる古今東西のさまざまな事象――ヒトの二足歩行をめぐる科学的知見から、「逍遙学派」と呼ばれた古代ギリシャの思想家たち、英米文学の作中で描かれてきた「歩行」の伝統と文学者自身の彷徨、さまざまな宗教の巡礼、政治的活動としての行進やデモ、そしてきわめて私的な近隣での散策まで、綴られたテキストそのものが、本書のキーワードである「あてどなくさまよう（meander）」という運動の軌跡となっている。

この本の性格について、ソルニット自身はこう書いている。

誰もが歩くことについてアマチュアである。だからここで語られる歩行の歴史はアマチュアによる歴史だ。そして歩行になぞらえていえば、それは長い経路をたどりながらさまざまなフィールドを横切ってゆくが、どこにも長逗留《ながとうりゅう》はしない。解剖学、人類学、建築、作庭、地理学、政治史、文化史、文学、セクシュアリティ、宗教学。専門家のフィールドは四角形に象られた、選ばれた作物のためにていねいに耕された土地のようなものだ。一方、歩くという主題は、現実の歩行に似て特定の範囲に局限されていない。

こう宣言した後、ソルニットの長い――しかも寄り道だらけで目的地も定まらない――歩行と思索が始まるのだ。

ところで、『災害ユートピア』よりもはるか前に書かれた、どこか若書きの余韻さえ残るこの本が、いま日本で翻訳出版される意味はどこにあるだろうか。『ウォークス』と同様に左右社から、二〇一四年に刊行されたティム・インゴルドの『ラインズ　線の文化史』のなかで、ソルニットのこの本はすでに言及されていた。「上に向かう・横断する・沿って進む」と題された章でインゴルドは、ソルニットの以下の文章を引用している。

書くことは想像力の土地を貫く新しい小道を切り開くこと、あるいはおなじみの路線に新しい相貌を示してやることである。読むことは筆者を案内役としてその土地を旅することである。……私は、自分の文章が一本の線のように書き出されて遠くまで走っていって、文が道であり読書が旅であることがはっきりわかるようになるといいなと思うことがよくあった。

その上でインゴルドは、ページ上にタイプ打ちされた文字によって構成される書物では、彼女の願いは十分に叶えることが難しい、と論じる。たしかにそうかもしれない。しかし、たとえ文が道（line）としては不完全なものだとしても、それをたどる運動が――道のないところを進む歩行のように――旅として不完全であることにはならないだろう。線の「文化史」より、歩行の「精神史」のほうが、「あてどなくさまよう（meander）」ことの度合いにおいてまさっている。インゴルドの本がアカデミックな論考であるのに対し、ソルニットの本は「文学作品」なのである。

レベッカ・ソルニットは自身の「歩行」の原点が、一九八〇年代に参加したネバダ核実験場に対するデモにあることを『ウォークス』の冒頭で明らかにしている。アクティヴィストとしての経験が、彼女をライターにした。『災害ユートピア』が東日本大震災の直前に日本で刊行されたのは偶然だが、『ウォークス』がいま翻訳されることで、「歩行」と「共同体」をめぐる言説の水準が高められることを私は祈る。

たとえば、集団的アクションとしての「歩行」には、「行列（パレード）」と「行進（プロセッション）」の二つがあるとソルニットはいう。「市民たちの街角――さわぎ、行進、革命」と題された本書の一三章は、彼女の地元サンフランシスコで行われる「クリティカル・マス」という、自転車利用者による集団走行イベントのエピソードから始まる。カストロ通りで行われるハロウィン・パーティがいまでは同性愛者だけでなく異性愛者も交えたイベントになっていることや、白人に滅ぼされた先住アステカ族を慰霊する祝祭、「死者の日」に行われる心情のこもったパレードに続けて、都市を彩るさまざまな祝祭的「歩行」の例を彼女は次々に挙げていく。その先にあるのは章のタイトルにあるとおり、革命である。「観る者を巻き込んだパフォーマンス」としての「行列（パレード）」の自由闊達さを寿ぐだけでなく、「行進（プロセッション）」のもつ一種の峻厳さをソルニットは重視する。公共空間は、その場所で人々が絶え間なく歩行することによってのみ維持されるといわんばかりに、彼女は次のようにさえ述べるのだ。

自分の街を象徴と実践の両方のテリトリーとして熟知している市民。徒歩で集合することができ、その街を歩くことに慣れ親しんでいる者。反乱を起こすことができるのは彼らだけだ。

ソルニットは反核運動だけでなく、一九九九年のシアトルでのＷＴＯ会議反対運動を契機とする反グローバリゼーション運動にも深くかかわっており、そのようなテーマの著作も多い。しかし『ウォークス』での彼女は優れた文芸的エッセイストとしての顔を見せる。敬愛する書き手にジョージ・オーウェルの名がただちに挙がるソルニットのことだから、その両側面が深いところでつながっていることは確かだ。

「自分の街を象徴と実践の両方のテリトリーとして熟知している市民。徒歩で集合することができ、その街を歩くことに慣れ親しんでいる者」。民主主義の担い手となる「市民／人民」の条件として、これほど簡潔な言葉を私はみたことがない。こうした言い方に対して、現代社会において、車を用いずに徒歩圏のみで生活できるのは一部の特権的な「クリエイティブ・クラス」(リチャード・フロリダ)だけではないか、という批判は当然ありうる。また「東京」というまさしく特権的な都市を考えた場合でも、日本でそのような条件を満たすエリアは鉄道の駅などによって分節される――たとえば高円寺なり下北沢なり、あるいは永田町なりといった――都市内のサブ地域でしかない。

ならばこう言えばよいかもしれない。徒歩圏であるかどうかはともかく、そこが「象徴と実践の両方のテリトリーとして熟知している」場所であるかどうかだけが重要なのだ、と。『ウォークス』が扱う歩行の領域は、もちろん都市だけではない。むしろ本書では、遠く巡礼の旅に出る者たちや、二〇〇〇マイルもの道を踏破したロマン派詩人ワーズワスのような、ホームグラウンドを離れた彼方の地まで歩を進める者への共感と敬意が、まずもって綴られる。しかしこの本で間違いなくもっとも魅力的なのは、ソルニットが都市、とりわけ彼女自身の住む街サンフランシスコについて言及しているくだりなのだ。

遠まわしな言い方をするのはやめてストレートに言えば、二〇一五年に最高潮を迎えた日本における政治的デモ(そもそもあれはパレードだったのか、それともプロセッションだったのか)が、あっという間にしぼんでしまった理由はここにあるのではないか。私自身がそうしたデモには一度たりとも参加したいと思えなかった理由も、ソルニットのこの言葉によって明瞭になった気がする。

「文が道であり読書が旅である」という彼女の願いに添ってさらに続けるなら、書物はその書き手にとって、あるいはしばしば読者にとっても、「象徴と実践の両方のテリトリーとして熟知している」場所になりうる。徒歩で向かえるデモ、あるいは「反乱」が可能となるのと同じような場所、すなわち自分が熟知する「象徴と実践の両方のテリトリー」を書物の中に見出すことは十分に可能だ。

レベッカ・ソルニットが『ウォークス』で示した彼女自身の足どりは、読む者にも、そのような自分自身の場所を確保せよ、という強いメッセージとして伝わってくる。アクティヴィストであり、十分にアカデミックな素養をもちつつも、彼女の書き手としての本質的な才能は文芸的な方面にある。そのことは、この本が思わず引用したくなるような魅力的なパッセージ――それをヴァルター・ベンヤミンに倣って思わず「パサージュ」と言いたくなる――に満ちている事実からも明らかだ。

ソルニットのような書き手の不在こそが、日本の文芸にとっての不幸である。

記❖二〇一七年八月

迎撃に失敗した昭和・平成の男たち

橋本治『草薙の剣』

橋本治が「新潮」に発表した『草薙の剣』は異様な小説である。二〇一七年九月号掲載の「昭和篇」が三五〇枚、一〇月号掲載の「平成篇」が二二〇枚、あわせて五七〇枚にわたるこの大長篇で描かれるのは、戦後昭和と平成の七〇余年にわたるいくつもの家族、とりわけ「父と子」の来歴とそのディテールである。

物語の鍵になるのは、作中の「現在」において一二歳から六二歳までの、生まれ年が一〇歳ずつ異なる「男達」だ。彼らは若い順に凡生《なみお》、凪生《なぎお》、夢生《ゆめお》、常生《つねお》、豊生《とよお》、昭生《あきお》と、それぞれ象徴的な名で呼ばれる。昭生は一九五〇年代生まれ、豊生は六〇年代生まれ、常生は七〇年代生まれ、夢生は八〇年代生まれ、凪生は九〇年代生まれ、そして凡生が二〇〇〇年代生まれ。「昭生の父」は大正末の生まれだが、「豊生の父」以下の「父達」はすべて昭和生まれである。一世代を約三〇年と考えるならば、昭生は「夢生の父」の、豊生は「凪生の父」の、そして常生は「凡生の父」の同世代にあたる。すなわちこの六人は、三組の「父と子」からなると見ることもできる。

その第一章「息子達」はこう始まる。

スーパーマーケットにいる夢をみた。

そして一行空けて、つぎのように続く。

暗い床に食品の陳列棚が並んでいる。人の姿はどこにもない。

このスーパーマーケットを出た外の夜道に、顔のない幾人もの男達が、「ただぼんやりと立っている」。昭生から凡生までの全員がこの「夢」を同時に見、それぞれに異なる感想を抱く。ある者は「懐かしさ」を感じ、ある者は「こわい」と思い、ある者は「後ろから母親に呼び止められたような気」がした。

『草薙の剣』はこのようにして始まった後、昭生から凡生までの各世代のクロニクルが延々と綴られ、エピローグの一つ前の段落に至り、ようやく題名の由来である「草薙の剣」のエピソードが語られる。

父帝の命をうけ東国平定の旅に出たヤマトタケルは、伊勢国で出会ったヤマトヒメに「大いなる剣」と「小さな革の嚢」を授けられる。相模国でヤマトタケルはその地の国造《くにのみやつこ》のだまし討ちに遭い、「一面に草の茂る野へと導かれ、火を放たれ」る。絶体絶命となったヤマトタケルがヤマトヒメから授かった「小さな革の嚢」を開けると、火打ち石が入っていた。ヤマトタケルは剣で辺りの草を薙ぎ払い、集めた草に火打ち石で火を点ける。押し寄せる火に対して、こちらも火で立ち向かう「向火《むかいび》の法」である。

橋本治はこのように「草薙の剣」の由来を紹介した後に、不思議なことを書く。

このことによって、ミコトの授けられた剣は「草薙の剣」の名を得ることになるが、それより更に重要な火打石にはいかなる名称もない。

草を薙ぎ払うだけで、押し寄せる熱と炎と白煙を押し止めることが出来たのか？　ヤマトヒメのミコトは黙って、押し寄せる敵を迎え撃つ術を教えたのだ。大太刀を振るって敵をかわすよりも、迎え撃つことの大事を。

このパラグラフで「草薙の剣」について唯一ふれたのち、物語は凡生と凪生に戻って終わる。そうした構成をもつこの小説で、橋本治は「昭和・平成の男達」の姿を総体として描こうとした。だが、こう書いたところで、『草薙の剣』という小説がなにを描こうとしているのかは、まだよくわからない。二つの補助線を引くことで、ようやく見えてくることがある。

まずは神話上の「草薙の剣」のその後である。伝承によれば、この剣は熱田神宮に祀られ、神体となった。剣の「形代（コピー）」は三種の神器の一つとして宮中にある。しかし最初に作られた「形代」は、源平合戦のおりに安徳帝とともに壇ノ浦に沈んだとされる。そのため安徳帝を継いだ後鳥羽帝は三種の神器のうち、剣を欠いた状態で即位しなければならなかった。そのことが後鳥羽帝にとって大いなるコンプレックスとなったという説もある。橋本治がこの故事をふまえて『草薙の剣』を書いたであろうことは明らかだ。なぜなら、「剣」は三種の神器のなかで唯一の武器だからである。

上皇となったのち、後鳥羽は鎌倉幕府に戦いを挑む——承久の乱である。武の象徴である「剣」を欠いて即位したからこそ、武力における優位を証明しようとしたのだ。だが本質的に「文」の人であった後鳥羽上皇は敗れて隠岐に流され、死後は怨霊となった。

ここで改めて先の引用箇所が問題となる。

ヤマトヒメのミコトは黙って、押し寄せる敵を迎え撃つ術を教えたのだ。大太刀を振るって敵をかわすよりも、迎え撃つことの大事を。

なるほど「草薙の剣」は「武」の象徴でもあろうが、橋本によればそれは迎撃のためではなく、むしろ「敵をかわす」ものでしかない。現実的に敵の放った火を迎え撃ったのは、名も無き火打石が放った「向火」だった。

『草薙の剣』の作中ではとくにその名が挙がることはないが、まさに「大太刀を振るって敵をかわす」ことを試みて敗れたのが後鳥羽上皇であった。勝利のためには「剣」のみでは足らず、「火打石」のような知恵がいる。なにより必要なのは、敵を「迎え撃つ」という、燃え上がる

「向火」のような意志なのだ。

戦後昭和から平成にかけての「男達」の物語（しかも、それぞれの「父」との二代記として）が『草薙の剣』という小説のなかで、かくも長々しく綴られなければならなかった理由はただ一つ、この時代の男達は、自らに襲いかかるものに対する迎撃に失敗した、と橋本が考えているからだろう。

ついにヤマトヒメを得ることのなかった現代のヤマトタケルたちは、かくして夜道に「ただぼんやりと立っている」だけの存在となりはてた――そうではないか、と橋本治はこの作品で男達に問いかけているのである。

『草薙の剣』は「平成篇」に入ると、現実社会で起きた様々な犯罪や事件への言及が、「昭和篇」以上にひんぱんになされるようになる。同時代には大きく報道され多くの人々に衝撃を与えた事件も、月日が経てば同じ時代を生きた者にも忘れ去られ、後世の者にはなんら手がかりを残さない。そうした事件の一つ一つを、しつこいほどに橋本治はこの小説のなかに埋め込んでいく。

こうした内実をもつ『草薙の剣』という作品を理解するためのもう一つの補助線は、二〇一〇年に書かれた長編『リア家の人々』だ。こちらは明治四一年生まれの元文部官僚・文三とその三人の娘達（環、織江、静）の物語であり、三女の静は橋本治と同じ「団塊の世代」である。文三の家に下宿しつつ東大受験に挑むが不合格となり、一九六九年の東大入試中止の目撃者となる従弟の秀和は「それ以後」の世代に属する。『草薙の剣』に登場する昭生以下は、すべて静や秀和より下の世代だということになる。『リア家の人々』でも「現実社会で起きた様々な犯罪や事件への言及」がやまほどなされる。しかし、ほぼ同一の手法で書かれていながら、『草薙の剣』に比べ、はるかに読みやすい。『リア家の人々』では戦後社会における家族の問題が、文三と静という「父と娘」によって象徴されているからだ。『リア王』『嵐が丘』『チャタレイ夫人の恋人』といった文学作品への言及も、作品の意図や構造に対する理解を助ける。

なにより「静」という、どちらかというと古風な考え方をする女性のなかに、この時代の「ノンセクト・ラジカル」がもちえた最良の可能性を見出すことで、父・文三を見舞う運命の救いがたさが十分に埋め合わされている。静のなかにある「古風さ」を取り払い、さらに下の世代の女に演じさせたのが『桃尻娘』の榊原玲奈であったことが、いまとなってはよくわかる。

対して『草薙の剣』の男達は、いまのところ暗い夜の町に「ただぼんやりと立っている」だけだ。その救いがたさは、むしろ『リア家の人々』の文三のそれを強く受け継いでいる。

『リア家の人々』が「一九六八年までの時代」を描いた小説だとすれば、『草薙の剣』が描くのは「一九六八年以後の時代」といってもいい。だから後者にも、「団塊の世代」の男女は登場する。たとえば「常生」の父と母は、大学紛争の時代に「合唱サークル」の先輩後輩として出会う。「常生の母」は『リア家の人々』の静に通じるプロフィールをもつが、彼女が作り上げることになる家族はやがて「ニューファミリー」と呼ばれるだろう。

常生はそうした家庭で生まれ育った「団塊ジュニア」の世代である。冒頭にも述べたとおり、この小説に登場する六人は「昭生―夢生」「豊生―凪生」「常生―凡生」という「父―子」であってもおかしくない。各ペアの「父」にあたる世代にはもう希望は残されていないが（ちなみに私は「豊生」の世代である）、「夢生」「凪生」「凡生」に対する橋本治の眼差しは優しい。「平成篇」の事実上の主人公は、一九八〇年代生まれの夢生である。「神戸で男の子を殺した犯人が捕まった。夢生より一学年上の中学三年の少年だった」と紹介される夢生は、自身のうちにも人を殺したい欲望があることに気づいてしまう。もちろん、この「夢生」というネーミングには、うすい悪意が込められている（「凡生」「凪生」も酷い名前だが、ここには逆説的な希望も託されている）。

「凪」のように平穏で「凡庸」な人生を受け入れることができず、漠然とした夢をいつまでも追い続ける者たち、という含意をもつ夢生の世代は、平成年間を通じて悪夢のような事件に取り憑かれ続ける。そして悪夢の「伝染」から身を守ろうとするあまり、夢生は引きこもりになってしまう――恐怖を迎え撃つための「剣」も「火打石」も欠いたままで。夢生はまるで橋本治の初期作品『暗夜』に登場する四〇年前の少年のようだ。

『草薙の剣』に描かれた男達が、ヤマトタケルになれなかったのはなぜか？

それを「ヤマトヒメの不在」のせいにしてしまったら、彼らと同時代を生きた女性に対してあまりにもアンフェアだろうか？　私たちはそのようにして大切な何かと出会い損ね続けている。

記❖二〇一七年九月

現代文学の次の「特異点」とは？

上田岳弘『キュー』

三島賞作家の上田岳弘が「新潮」二〇一七年一〇月号から連載開始した長編『キュー』を、スマートフォン用ブラウザに限定してネット上でも同時公開したことが話題になっている。いや、現実的にはあまり「話題」にはなっていないのだが、これを機に話題にしたい。

上田は二〇一三年に「太陽」で新潮新人賞を受賞、二〇一五年には『私の恋人』で三島賞を受賞したほか芥川賞候補にも二度なっている期待の新鋭作家だ（編註：二〇一九年に「ニムロッド」で第一六〇回芥川賞を受賞）。人類史を超えて宇宙史にまでタイムスケールを拡大した前衛的な作風は、古風な文学観への回帰が特徴的なここ数年の純文学シーンのなかでとりわけ異彩を放っている。

経歴的にもＩＴベンチャーの起業に立ち会い、現在もその役員を務めているとのことで、テクノロジーの進展によって大きく様変わりしつつある現代社会の最先端にじかに触れているという、他の作家にはない強みがある。

その上田の最新作『キュー』は、九つの章からなると予告された長編作品だ。「新潮」一〇月号に掲載された第一回では「急」、一一月号の第二回では「旧」という文字がキーワードとして示されている。このことからもわかるとおり、事前にかなり綿密に設計された作品であろう。

全体の九分の二までしか進んでいない現段階でも、すでに以下のことが明かされている。この作品は人類文明が必ず経験することになる一八の「パーミッションポイント」についての物語であり、二一世紀初頭という私たちの「現在」ではこのうち九つ、すなわち《言語の発生》、《文字の発生》、《鉄器の発生》、《法による統治》、《活版印刷》、《自律動力の発生》、《世界大戦》、《原子力の解放》、《インターネットの発生》を経ている。次に訪れるのは《一般シンギュラリティ》と名付けられたAIが人類の知性を凌駕する「特異点」であり、さらにその先には《個の廃止》、《寿命の廃止》といった、現生人類の生命体としての廃絶までが視野に入っている。

作者および新潮社が『キュー』のネット配信（しかも無償）に踏み切ったのも、ほぼ業界人しか読まないし話題にしない文芸誌での連載の完結と単行本化を待つことなく、潜在的な読者層（ITに親和性の高い現役の社会人あるいは学生）へと、この野心的な作品を手渡す回路を切り拓きたかったからだろうと理解する。

ところで、この『キュー』のネット配信プロジェクトの公式ページで、「新潮」編集長の矢野優がこのようなことを書いている。

18XX年、日本文学に特異点が訪れました。鎖国が破られ、近代的自我に相応しい「言文一致」という文章意識が確立された時点です。1904年に創刊された文芸誌『新潮』は、その特異点から誕生しました。そして20XX年——。情報技術革命と巨大な社会変化のただなかで、上田岳弘「キュー」は、新しいデジタルの舞台を得て、文学の次の特異点に向けて動き始めます。

『キュー』のネット配信版には、インターフェイス・デザインを担当した会社による装飾的なギミックがほどこされているのだが、こちらはそれほど重要な問題ではない。「新潮」編集長の文章にある「文学」にとっての「特異点」という言葉が単なる惹句にすぎないのか、それとも文芸編集者としての深い確信に裏付けられた宣言であるのか、ということのほうに私の関心はある。「18XX年」「20XX年」といったいささか大雑把な書き方からは、これが緻密な理論に裏付けられたものではないことが察せられる。しかし少なくとも前者のタイミングについては、逍遥・四迷以後の〈言文一致〉という文章意識〉によって「日本近代文学」は近世文学から離陸した、という文学史的通説を指しているのだろう。

そこで『キュー』における「パーミッションポイント」という考え方に倣い、今後の日本文学史にもそのような「通過点」が設けられていると考えてみたらどうなるか。《言語の発生》、《文字の発生》、《活版印刷》、《インターネットの発生》……といった「下部構造」の変化に対応した「通過点」が、上部構造としての「表現」や「文章意識」に起きてもおかしくない。

ところで、上田岳弘はデビュー作以来、繰り返し宇宙規模の、ある意味で壮大な「ほら話」を書いてきた。今回の『キュー』はさながらその集大成ともいえるもので、個としての人類消滅後の世界を、しかもこれまでになくリーダブルな文体で描いている。そして『キュー』のこれまでの展開と「新潮」編集長のネット上での言明を併せ読むと、日本の現代文学が遠からず不可避的に「通過」するはずのパーミッションポイント、あるいは特異点の姿がおぼろげに見えてくる。『キュー』における「パーミッションポイント」に倣って言うなら、まずもってそれは《文芸誌の廃止》として現れるだろう。

「1904年に創刊された文芸誌『新潮』は、その特異点から誕生しました」という言明を深読みするならば、次の特異点において文芸誌（あるいは『新潮』）は、その存在を終了するのではないか。いま起きているメディア環境の激変が、そうした「特異点」を小説内のほら話としてではなく、現実の出来事として招来させるであろうことはほぼ確実である。

そもそも「日本近代文学（史）」なるもの自体、近代出版流通というメディア・プラットフォームの上に咲いた華だった。それを支えたのは「円本」以来の文学全集や、岩波文庫・新潮文庫をはじめとする、文芸作品における古典（カノン）を策定し読者に安価に届ける仕組みだった。この遠近法は文芸誌およびその新人賞、さらには芥川賞・直木賞に象徴される文壇ギルド内でのメンバーシップの承認によって、長らく再生産されてきた。

しかし、その下部構造をなしてきた全国津々浦々にあった中小の書店はいまや減少の一途を辿っており、文字メディアの中心はネットへと、そしてスマートフォンへと急速にシフトしてしまった。

ＩＴ業界を中心に、いわゆる「シンギュラリティ仮説」（『キュー』における《一般シンギュラリティ》は、それをさらに捻った架空の概念）がまことしやかに語られたのは、この世界ではこれまでにも「ムーアの法則」や「メトカーフの法則」といった、半導体やネットワークの集積がもたらす未来像を、ある程度正確に予想できる法則性が存在したからだ。その延長線上に想定された「シンギュラリティ」が本当に到来するかどうかは、じつのところ疑わしい。むしろ「日本文学における特異点」のほうこそ、現実的に忍び寄っているというべきだ。どんな出版市場の統計を見ても、出版市場が今後、上向きになることはありえない。縮小し続ける市場のなかで、「純文学」が占める割合も少なくなっている。要するに「日本文学」は、このままでは「絶滅」さえ危惧される存在である。

ところで、人類そのものの《廃止》さえ視野に入れている上田岳弘という作家にとって、《文学の廃止》へのカウントダウンはどのように認識されているだろう。

文学ないし出版の未来について、『キュー』のなかで描かれていることは、連載の現時点ではきわめて少ない。第一回では主人公・立花徹の高校時代の同級生で、広島の爆心地で亡くなった女性の記憶をもつ「恭子」が、「図鑑みたいな分厚い本をよく読んでいた」と描写される。彼女は「歴史書や伝記、化学の専門書等々。思い返してみても、恭子がフィクションを読んでいるところを見かけたことはなかった」とも書かれており、作中では文学的なものへの言及が意図的に回避されているという印象を受ける。

しかしこの小説のなかに、フィクショナルな「語り」が存在しないわけではない。まず立花徹は「心療内科医」という設定であり、人間における「心」という曖昧な領域を専門とする。恭子が読む「図鑑みたいな分厚い本」は面白いのかと彼女に訪ねる徹が、文学に親近感をもっていてもおかしくない（作中ではまだ言及されていないが）。

連載第二回では、「個体の識別」や「寿命」が人類から《廃止》された後の時代に、コールドスリープ（冷凍睡眠）の結果、ただ一人の「個」として残ってしまったGenius lul-lulなる人物が、「iPad Pro 12.9inch ２０１７年春モデル」に向かって問いを返す、という場面が描かれている。

Genius lul-lulに対して語りかけるのは、コールドスリープの実施主体である「Knopute CS八戸センター　所長代理」なる存在だ。自らを「語ることが本職であり、得意でもある」とも認識している「所長代理」は、コールドスリープから目覚めたGenius lul-lulに、その間の人類史を「語る」役割を担っている。そして、その伝達方法については、「まずはお手持ちの端末で続きをお読みになるのがよいでしょう。もちろん、このまま音声で再生することも可能です。その他のツールも様々用意されていますが、ご希望はありますか?」と言うのだ。こう言われる「お手持ちの端末」が、先のiPad Proである。

この小説に描かれた未来世界では、すでに《言語の廃止》というパーミッションポイントを通過している。だが、Rejected Peopleという謎の存在が発生したために、いったん廃止された言語のうち九つ（そこには日本語が含まれる）が復活を遂げるのだ。

このあたりに上田の文学観、書物観がみてとれる気がする。《言語の廃止》がなされた後の世界を前提としつつ、その上で便宜的に「復活」した言語によって語られる尋常ではない「物語」。上田岳弘の書く「小説」はすべて、この「所長代理」による「語り」に似ている。

一九世紀末に日本で生まれた「言文一致」という文章意識が、事後的に近代的自我、すなわち「内面」というものを生んだとされる（柄谷行人『日本近代文学の起源』）。これが日本の近代文学における過去最大の「特異点」だとすれば、上田はそれを乗り越える「新しい文章意識」の開発に意図的な作家といえる。

問題は、そのような作品を盛るにふさわしい器やメディアの不在だ。今回のウェブ連載の試みは歓迎するが、スマートフォンの小さな画面では、その任は十分に果たされない。皮肉なことに、文芸誌の紙面で読むほうがスマホよりもはるかに、この野心的な作品を楽しめるのである。

記❖二〇一七年一〇月

「パラフィクション」と「ハード純文学」の間に

佐々木敦『筒井康隆入門』
小谷野敦『純文学とは何か』

佐々木敦の『筒井康隆入門』と小谷野敦の『純文学とは何か』を面白く読んだ。前者は星海社新書、後者は中公新書ラクレと、それぞれの書き手がもつ力量に比べていささか格調の高くない新書レーベルから出ており、そのこと自体が、文芸出版が置かれている困難な状況を象徴しているのだが、それはともかく内容をみていこう。

佐々木の『筒井康隆入門』は、「筒井康隆は、現代日本文学が生んだ最重要にして最強（最狂？）の怪物的作家です」という一文からはじまり、一九六〇年のデビューから最新作まで、この作家の主だった著作について時系列で言及していくという労作だ。五七年という活動期間の長さ（途中で「断筆」の数年を挟むが）に加え、つねに流行作家として膨大な数の作品を生産していた筒井康隆という作家の全体像をコンパクトにまとめ、深い理解に基づいて紹介する手腕には舌を巻いた。

半世紀以上にわたる筒井康隆の作家としての活動を、佐々木は各時代の象徴的な作品とともに五つの期間に区切っている。すなわち、「SFの時代」（デビュー作「お助け」から『脱走と追跡のサンバ』まで）、「黒い笑い《ブラックユーモア》の時代」（『家族八景』から『大いなる助走』まで）、「超虚構の時代」（『虚人たち』から『文学部唯野教授』まで）、「炎上の時代」（断筆宣言から『巨船ベラス・レトラス』まで）、そして「GODの時代」（『ダンシング・ヴァニティ』から『モナドの領域』まで）である。それぞれの時代はほぼ一九六〇年代、七〇年代、八〇年代、九〇年代〜二〇〇〇年代、二〇一〇年代以降に相当する。図式的ではあるが、こうした区分も筒井康隆の多彩な活動の特徴をそれぞれの側面を巧みに言い当てている。

佐々木は、自分が最初に読んだ筒井の作品は『にぎやかな未来』というショートショート集ではなかったかと書いている。佐々木と同世代である私も同様で、一〇坪もないような町の本屋の店頭で、筒井の『にぎやかな未来』とトルストイの『人生論』のどちらを買うか悩み続けたことまで、いまも鮮明に覚えている。

その後の時代に急速に褪せていく教養主義が「中一コース」や「中一時代」といった当時の学年雑誌にはまだ残っており、そのせいで『人生論』なども手に取ったのだろう。だが思案の結果、私は筒井康隆を選んだ。

最初の接触が『にぎやかな未来』だったのは幸運だった。中学生になるかならないかの時期に、すでに人気のあった星新一のショートショートにも似た子どもにも読める平易さと、じわじわと利いてくる毒、そしてなによりSFの本質にあるセンス・オブ・ワンダーを兼ね備えた筒井の初期作品に触れたことが、自分の読書人生を決定した大きな分岐点だったかもしれない（なお、『人生論』を読む機会はその後も二度と訪れなかった）。

『にぎやかな未来』には、デビュー前から筒井が父親や兄弟と発行していた家族同人誌「ＮＵＬＬ」に書いた作品が収められている。佐々木や私の世代は筒井康隆という「怪物的」な作家が時代ごとにその姿を変えていくさまを、そのスタートラインから読みはじめていたのだった。『筒井康隆入門』を読みつつ、各時代の筒井作品との出会いを思い起こしてみると、はるか三〇〜四〇年前に読んだものも、その印象が極めて強固に残っていることに気づき驚く。当時すでに筒井の著作の大半は文庫本で安価に手に入った。中学生から高校生にかけての時期に筒井康隆の小説を浴びるように読むことは、私の世代にとって一種の「通過儀礼」のようなものだった。のちに物書きやクリエイターになる同世代の者で、ティーンエージャーの頃に筒井康隆を経験していないということは、まずありえない気がする。

それほどまでに筒井康隆という作家が私の世代に与えた影響力は強いが、佐々木の本を読んで同時に思い出したのは、一九八〇年代から九〇年代にかけて自分が筒井康隆への関心を次第に失っていったことだ。それはＳＦやミステリといったジャンル小説から読書生活を始めた私が、読書の対象を村上龍や村上春樹と現代文学へと移していくのと並行していた。

佐々木が「超虚構の時代」と名付けた一九八〇年代以後、筒井康隆自身も文芸誌に活動の場を広げ、前衛的な手法による作品を相次いで発表する。それらの作品を私も同時代に読んではいたが、さほど強い感銘を受けることはなく、むしろ「筒井離れ」の契機になった。そのようにして筒井康隆の影響下から離れていった読者も多いはずだ。

逆に、その後の筒井の方向性を引き続き支持した読者は、原理的な「ツツイスト」としてこの作家の強い影響下にとどまることになる。この分岐点はおそらく、現代日本文学にとってきわめて重要だったに違いない。大げさに言えば、そこには「文学とは何か」という問いに関する大きな論点が存在する。そのことをはっきり示したことが、佐々木敦の『筒井康隆入門』という本の最大の功績だと私は思う。

小谷野敦の『純文学とは何か』という本は、ここで佐々木の議論と交差する。この本で小谷野が述べているのは、彼のかねてからの主張である「私小説こそが純文学の粋である」ということ、また「《海外には純文学と大衆文学の区別はない》というのは俗説であり、古今東西の文学にはジャンルが歴然と存在する」ということの二点である。このあたりの小谷野の立論は過去にも何度か述べられてきたことで、とくに目新しさはない。今度の本の眼目は、「私小説至上主義」に至る前段として、あれもある、これもそうだと、さまざまな文芸ジャンルが総ざらえされていることだ。

こうした手続きを経て小谷野は、「純」と「通俗」の区分の存在は普遍的なものであり、かつ、洋の東西を問わないことを立証していく。だが興味深いことに、そうしたなかで一人の作家が「純文学」と「大衆文学」の双方を書くというのは珍しいことではない、とも述べている。三島由紀夫の例を挙げるまでもなく、たしかにそれは文学史あるいは出版史における常識である。

さらに興味深いのは、こうしたまっとうな指摘にもかかわらず、小谷野が日本の小説家を「ハード純文学系」、「通俗的なものも書く作家」、「純文学作家とされるがほぼ通俗作家」といった具合に区分していることだ。

現代の作家では金井美恵子や佐伯一麦や堀江敏幸は第一の、村上龍や村上春樹や池澤夏樹、小川洋子や山田詠美は第二の、宮本輝や髙樹のぶ子、辻原登や吉田修一は第三のグループに属するとされる。堀江敏幸は私小説を一切書かないので、小谷野のいう「ハード純文学」の定義は怪しくなるが、直感的には概ね首肯できなくもない。こういう分類をすることで小谷野は、小説における「ジャンル」の重要性を強調するとともに、「私小説」もまた、そうしたジャンルの一つにすぎないことを認めている。小谷野は私小説至上主義者ではあっても、「私小説」を文学におけるヒエラルキーの最上位に置いていいるのではないようだ。

さて、ここに佐々木敦による筒井康隆への絶賛に近い評価を代入してみるとどうなるか。筒井はまぎれもなくSFという「ジャンル小説」の作家としてデビューし、純文学の媒体である文芸誌に発表するようになる。さらに佐々木は、中期以降の「メタフィクション」への移行や、初期作品から顕著だった現実へのメタな視点の原点を、演劇という方法論への筒井の志向と重ねてみている。このあたりは演劇評論も手がける佐々木自身の文学観をも強く物語るものになっている。逆に小谷野は、筒井康隆のメタフィクションを「ヌーヴォー・ロマン」の焼き直しとして切り捨てる。

こうした意見の違いからも、小谷野のいう私小説至上主義と、佐々木が筒井康隆に見出している現実へのメタな視点は、本来ならば根本的に対立するもののはずだ。

ところが佐々木の筒井論の結論に相当する部分では、ある種の小説はそのテキストを読んでいる読者自身を巻き込み、作品世界に統合してしまうという、メタフィクションのさらに先にありうべき「パラフィクション」の実例として、二〇一五年に発表された最新長編『ＧＯＤ』が挙げられている。この作品においては作者・筒井康隆が「私小説」の作家以上に過剰なエゴイストとして作品世界を統御しているのだが、それを肯定する佐々木のパラフィクション論は、小説の作者自身を「ＧＯＤ」として見出すという構図において、皮肉にも「私小説至上主義」の小谷野以上に、「作者」を神話化する方向で働いてしまう。

そもそも小説家は自身の作品の「創造主」だといえるのか。通俗小説やジャンル小説において、小説家は「創造主」というよりも、むしろ「職人」に近い。作者は果たして「創造主」か「職人」か、という問いは他の芸術ジャンルでも近代以後に繰り返し問われてきたが、答えは「その中間にある」というのが平凡な真実ではないか。

余談だが、カズオ・イシグロが今年（二〇一七年）のノーベル文学賞を受賞したのを受けて、石原千秋が産経新聞の文芸時評で「ノーベル文学賞はいわば直木賞系にシフトした」と書いていた。この言葉はイシグロへの授賞に対する皮肉として書かれたようだが、私は「直木賞系」と評されたことはイシグロの栄誉として考えたい。

　イシグロの小説作品の数は筒井康隆に比べて極めて少ないが、一作ごとにSFやファンタジー、探偵小説といった、様々なジャンル小説の形式を試している。しかしイシグロは決して「ジャンルを越境した」わけではなく、同じ話を異なる形式で何度も繰り返し書いてきたといったほうがいい。そしてイシグロの作品がもつ広さ、大きさは、イシグロが「通俗小説」を書いているからかもしれない。

　イシグロ作品のような広がりを欠く点で、私には「私小説」と「メタフィクション」が双子のような存在に思える。それらの極地にあるのが「ハード純文学」や「パラフィクション」ならば、そこからは離れたところに私は文学や小説の可能性をみていきたい。

記❖二〇一七年一一月

プロテスタンティズムの精神

松家仁之『光の犬』

新潮社で雑誌『考える人』や海外文学シリーズ「新潮クレスト・ブックス」を立ち上げた編集者の松家仁之は、村上春樹のロング・インタビューを掲載した『考える人』の二〇一〇年夏号を最後に退職した。この号は村上の『1Q84』がベストセラーになった後だったこともあり、かなりの売れ行きを示した。村上へのインタビューとしては空前絶後の長さであるばかりか、その内容もよく、私はそのことに驚いたものだ。

松家仁之がその後、「新潮」の二〇一二年七月号に長編小説『火山のふもとで』を発表したのは、二度目の大きな驚きだった。単行本化された同作は、その年の読売文学賞をなんなく受賞し、見事なデビューとなった。松家はその後も一三年に『沈むフランシス』、一四年に『優雅なのかどうか、わからない』という長編小説を発表し、小説家としての地歩をかためた。その松家の三年ぶりとなる長編第四作が『光の犬』だ。

編集者が作家に転じた例は過去には数多くあるが、近年は文芸編集者にも文学に対してさして情熱をもたない者が増えているせいか、退職して小説家となった話を他に聞かない。純文学は小説家になってもそれだけでは食えない世界であり、版元の編集者はそのことを骨身に沁みて知っている。『考える人』や新潮クレスト・ブックスの編集で見せた手腕からも、長いインタビューを実現させるほどの信頼を村上春樹から得たことからも、松家の文学に賭ける真摯な思いは十分に伝わってきたが、そのような優れた文芸編集者であればなおさら、いま小説を書くことの困難も、そこで求められるハードルの高さも理解していたはずだ。

そうしたなかで小説家となった松家仁之は、あくまでもディレッタント的な存在に過ぎないのか、それとも文学という困難な仕事に不退転の決意で挑む真の意味での「作家」なのか。『光の犬』という小説はそのことを明らかにしてくれるだろう、という期待で本作を読み始めた。

これは道東、すなわち北海道東部にあるとされる架空の町、枝留《えだる》に暮らす一族、添島家三代の物語である。作品の冒頭で、首都圏の大学教員をしている添島始の「猫背ぎみの肩甲骨のあいだから、見えない直線を五メートルほどうしろへ引いた中空」に浮かぶ「消失点」の存在が示される。この言葉によって添島の一族はやがて消え失せることが示唆されているのだが、同時に消失点とは絵画に立体感を生み出すための遠近法の技法でもあるから、「始」という象徴的な名をもつこの五〇代の男の背後にある架空の点を見つめれば、彼に至る一族の流れが見渡せるはずだ。

この小説は実際、始の少年時代からの回想、その姉で理論天文学者となる歩の少女時代から早すぎるその死までのエピソード、始と歩の両親である眞二郎と登代子の夫妻や眞二郎の姉妹である添島家の三人の女たちといった、枝留に住み続けることを選んだ者たちの抱える屈託などを淡々と綴っていく。

この物語でもっとも遠くに見える地平は、始と歩にとっての祖母よねが歩んだ人生のそれである。よねは明治三四年、すなわち「ちょうど二〇世紀になった年」に信州の追分宿で中村という医師の家に生まれ、生後一年足らずで東京・日本橋の吉田という町医者のもとに里子に出された。五年後、生家に戻されたよねは地元の高等女学校を総代で卒業するが、医師への道は断念せざるを得ず、里子先だった吉田の家に下宿しつつ、大学付属病院内につくられた産婆講習所に通いはじめる。

伝統的な「産婆」から近代医学のシステムに寄り添った「助産婦」へと仕事の呼び名は変わるが、よねは添島の家に嫁いだ後も最後までこの仕事を続ける。歩はよねがとりあげた添島家の最後の子どもだった（始はよねの死後三年目に「逆子」で誕生する）。

添島家の女たち、つまり眞二郎の姉妹である一枝、恵美子、智世の三人に子どもはいない。一枝と智世は未婚のまま老い、軽い障害のある恵美子は一度嫁ぐが、子どもを産まないまま生家に戻る。三人は眞二郎夫妻の隣家で共同生活を営むが、恵美子がいちばん先に死ぬ。若くして生命を絶たれた歩も、誰とも結婚するつもりはなかった。『光の犬』の作者はこうして添島家の血統が流れる先をことごとく消しさった上で、始に「消失点」を背負わせているのだ。

始は、首都圏の大学で書物史を講じている。時代を行きつ戻りつして描かれるこの小説の登場人物のなかで、「現在」の時空とはっきり結び付けられているのは始だけだが、彼はまもなく教職を退き、郷里の枝留に戻ることを決めている。始には映像プロデューサーをしている妻・久美子がいるが、二人の間にも子はなく、枝留への帰郷に彼女は同行しない。

この小説は家族や血脈を(その断絶をとおしてであれ)描くことよりも、添島家の一族とその周辺の人々が演じる日常の一コマ一コマを、「消失点」を支えにゆらゆらと揺れるモビールのように描くことのほうを重視している。それはデビュー作『火山のふもとで』に忍び込ませた一言、「大事なことは、聴き逃してしまうほど平凡な言葉で語られる」から変わらぬ、「作家」としての松家の決意に違いない。

そしてもう一つ、はっきりしたモチーフがある。それはいっそのことプロテスタンティズムの精神といってもよいものだ。

枝留にはプロテスタントの教会があり、妻を亡くし東京から戻ってきた工藤という牧師がその一人息子・一惟と暮らしている。一惟は歩と高校が同級で、一時期ともに美術部に籍を置いていた。二人は淡い恋仲になるが、一惟は美術部を辞めてしまい、歩は札幌の大学、一惟は京都の大学へと進学することで別離は決定的になる。二人が再び出会うのは、歩の命がまもなく消え失せようというときであり、この小説のアンチクライマックスはそこに置かれている。

プロテスタンティズムが本作において重要なモチーフであることは、弟の始が「書物史」の専門家であることによっても、裏側から示されている。この小説が刊行された年はマルティン・ルターによる宗教改革の五〇〇周年だったが、活版印刷術によってうまれた「書物」こそがプロテスタンティズムの精神をもたらし、広めたメディアである。始の専門が書物史であることは、その妻が「映像プロデューサー」であることと際立った対照をなすが、一惟が父親のあとをついで牧師になるであろうこととリンクしている。

この小説の第一五章はまるごと、聖書からの二つの引用で占められている。それは「マルコ福音書」第十一章15—19と、「ヨハネ福音書」第二章13—25（ともに田川建三の訳による）である。私はプロテスタンティズムおよびキリスト教の教義そのものにほぼ無知であるため、その意味を十分に理解することはできないが、同じエピソードを異なるバージョンで描いたこれらの一節には、果たしてどんな思いが込められているのか。

プロテスタンティズムからは即座に勤勉という言葉が思い浮かぶが、たしかにこの小説の登場人物はみな、よく働きよく学ぶ人たちだ。よねが産婆講習所で学んだことはすでに述べた。歩は理論天文学者、始も大学教員と、ともに学術的な研究者であるだけでなく、姉は「光」という存在について、弟は「ことば」という存在についての専門家であるという点で、キリスト教の世界にまっすぐに結びつく。

それだけではない。工藤一惟は全国から非行少年が集められた更生施設である農場学校にある礼拝堂で、牧師である父親の礼拝を手伝っている。この「学校」で一惟は石川毅という同世代の少年と出会い、そこでつくられた農場バターを枝留教会で販売する計画に夢中になる。毅は勤勉な模範生として過ごすが、恋人との駆け落ちのため農場学校からの脱走を試み、その途上で襲われて死ぬ。毅は農場学校の寮父母に対し、バターの売上を盗んだことを詫び、必ずいつか返しに来ることを告げる手紙を残していた。

この暴力事件は、一惟の大学時代の同級生の塚田徹という男が内ゲバによる執拗な襲撃を受け、下半身をひどく損傷するというエピソードによって再演される。この時点では一惟はまだキリスト教に対して最終的な帰依をすることができずにいる。周囲のものに襲いかかる悲劇を、一惟は自らへの試練であるかのように受け止めるしかないのだ。

このように、『光の犬』には随所にあからさまといっていいほど、キリスト教とりわけプロテスタンティズムの世界へのリンクが張りめぐらされている。松家は『考える人』編集長時代に、独自のキリスト教解釈を築きあげた新約聖書学者の田川建三のロング・インタビューを企画していた（聞き手は湯川豊）。そしてこの小説もまた、田川建三のキリスト教観のつよい影響のもとにあるように思える。

小説作品として『光の犬』を評価するとき、このプロテスタンティズムによる裏打ちを抜かすことはできない。添島の一族はまもなく「消失」するが、それは家族という目に見える血脈の消滅でしかない。妻とは離婚することになっても枝留に戻ろうとする始とは対照的に、姉の歩はかつて二度と戻らぬ決意で枝留の地を出た。そして恋人はつくっても結婚もしないと自ら意を定め、研究者として飛躍する機会を得たと思ったときに病に倒れたのだ。

始が背負う消失点とは「消滅」ではなく、そこから見晴らすことのできる広大なパースペクティブのための「起点」であり、光はむしろそこから放たれている。この小説の真の主人公は、その光に照らされて改めてその生涯のディテールが浮かび上がる歩であり、あるいは彼女と同様に子をなさずに生涯を終えるであろう、添島家に生まれた一世代前の女たちのほうではないか。
一つの小説が抱え込むには大きすぎる問題を、プロテスタンティズムという太いくっきりした補助線によって、松家仁之はこの作品になんとか包み込むことに成功したといえると思う。

記❖二〇一七年一二月

ポストモダニストの「偽装転向宣言」か？

いとうせいこう『小説禁止令に賛同する』

東日本大震災後に書かれた幾多の「震災後文学」のなかでも屈指の傑作『想像ラジオ』を書いて「復活」するまで、いとうせいこうが小説を書けずにいたことはよく知られている。一九九七年の短編集『去勢訓練』から二〇一三年の『想像ラジオ』の発表（同年の「文藝」春季号に掲載）までと数えれば、いとうの休筆は一六年の長きにわたった（二〇一四年に刊行された『未刊行小説集』によれば、Sunaga t Experience が二〇〇一年に発表した『クローカ』というCDのブックレットに発表された「犬の光」という短編が最後だという）。

いずれにせよ、いとうは『想像ラジオ』以後、新作を旺盛に発表するようになった。二〇一三年には「ひとり世界文学アンソロジー」とでもいうべき異色の短編集『存在しない小説』を、二〇一四年にはゴーゴリと後藤明生に対するオマージュである表題作を含む短編集『鼻に挟み撃ち他三篇』を、二〇一六年には長編『我々の恋愛』を、二〇一七年には信州弁によって書かれた短編集『どんぶらこ』を刊行している。

そうした流れのなかで、昨年（二〇一七年）の文芸誌「すばる」一一月号に『小説禁止令に賛同する』という挑発的な題の長編作品が掲載された。この作品がまもなく単行本化（二〇一八年二月）されるので、雑誌掲載からは少し間が開いたがこの機会に論じてみたい。

この物語の舞台は二〇三六年という近未来に設定されている。作者のいとう自身を連想するよう造型されている元小説家の「わたし」が語り手で、彼は東アジアにおいて政治的な覇権を握る亜細亜連合の「東端列島」で拘置所に収監されており、当局の監視下にある。

この時代にはある理由で「小説禁止令」が発令されており、「わたし」は拘置所内でいわゆる「獄中転向」を行った思想犯のような存在である。

この法令への心からの賛意を他の拘置所内の囚人やひろく一般にも伝えるため、「わたし」は『やすらか』という月刊の獄中雑誌に告白録風の随筆を書いており（少なくとも本人はそのつもりでいる）、その文面がそのまま『小説禁止令に賛同する』という小説のテキストを構成している。「わたし」にとって、この随筆は「小説家」から「随筆家」への転向宣言であると同時に、彼自身の小説論や文学論を展開する場所ともなっている。

いとうせいこうはこれまでにも、本作のように「小説とはなにか」を自問自答するような、いわばメタ小説をいくつも書いてきた。わかりやすい物語性よりも、小説という表現形式がもちうる可能性をさまざまな方式で開拓しようとする姿勢において、いとうは明らかにポストモダニズムの作家であり、そのことを徹底するあまり、ひとときは小説がいっさい書けなくなってしまった。作中の「わたし」は、いとう自身のそうした過去の出来事をある程度まで忠実に反映しつつ、いまから一八年後の近未来の世界を綴っていく。

『やすらか』に掲載された「わたし」の随筆を時系列で転載した——なんらかの調査資料のようにも思える——形式で綴られるこの作品には、ところどころ「■」という伏せ字の部分がある。たとえば「日」や「本」に相当する部分が伏せられており、資本主義は「資■主義」と表記されている。カタカナも一切使用されておらず、漢字表記による言い換えか、ひらがなによる書き換えが行われている。つまりこの時代には、そうした伏せ字、言い換え、書き換えを強いる検閲主体としての権力が存在しているのである。

「わたし」の語りによれば、現在——もちろん二〇三八年の——「東端列島」は、またしても占領下にある。いとうせいこうはこのように、来るべき対中戦争で徹底的に敗北した後の日本における検閲下で書かれたテキストの不自由さを、江藤淳がかつて論じたアメリカ占領下における「閉された言語空間」の裏バージョンとして戯画的に可視化することで、同時に現在における日本文学のあり方をも問おうとしている。

　そもそも、この時代に小説が「禁止」されるようになったのはなぜか。小説は二〇世紀末から二一世紀はじめにかけて衰退を余儀なくされていたが、インターネットや人工知能の発展の先に訪れた、「フェイクニュース」的な映像ばかりがメディア上を流れるディストピア的な社会状況のなかで、「電脳利用者が徐々に熱を冷ましてしまい、かえって印刷された出版物の方へと信頼を移し直す傾向が記録的暴風雨のように吹き荒れた」。

「わたし」はそのようにして人々が書物に再び向かうようになった事態を「夢のような出来事」だと語るのだが、それでも「小説」は否定されなければならない。なぜならば――

刻々と真偽が移り変わる電脳内の文字列に、人々が嘔吐を催すほどの不信感を覚えた数年のことは皆さんもよくよくご存知の通り。

そして文学が力を持ってしまったのです。

あの老人のように衰えた分野が。

すっかり終わったはずの時代遅れの物語群が。

それにしても、なぜかつては「小説」を書いていたはずの「わたし」は、権力による監視下にあるとはいえ、それを「禁止」すべきという亜細亜連合の考えに賛同するのか。「わたし」の論理は以下のように展開する。

もともと小説は他愛もないものだからこそ鋭く人間を世界を映し出せるとわたしたちは思っていたはずですし、読む者の人生の色あいを言葉の技術でわずかに変えられるならそれで十分で、ゆえにこそ真剣な戯れの中にいたつもりだったのに。

ところが、インターネットから書物への「記録的暴風雨」のような大移動のなかで、「熱い書物」(これはもちろんマーシャル・マクルーハンの「ホットなメディア」を含意する)に熱狂した各国の国民はナショナリズムに向かい、そのなかで東アジアにおいて決定的な戦争が再び起きてしまう(ここではベネディクト・アンダーソンの『想像の共同体』が参照されている)。おそらくは「日本」の徹底的な敗北に終わったその戦争ののち、ちょうど第二次世界大戦後の極東国際軍事裁判がそうだったような、戦争犯罪人としての文学者の粛清が行われる。「わたし」が生きているのはその後の世界なのだ。

不可避と思われた衰退と滅亡から、一転して暴風雨的な復活を遂げた書物、そのなかでも文学とりわけ「小説」が「熱い書物」として人々を先導し、再び世界を壊滅へと向かわせた。その経緯を文学者として反省する、というのがこの随筆の表向きの目的なのだが、要するにこれは「転向文書」である。

それにしても、作中で「わたし」が展開する文学論は、あまりにもいとう自身の来歴を背負いすぎている。ここで直接に論じられたり、遠回しに言及されたりする作家や作品は、サミュエル・ベケットの『エンドゲーム』、ハーマン・メルヴィルの『代書人バートルビー』、夏目漱石の『行人』、フランツ・カフカの『審判』、中上健次の『地の果て　至上の時』、渡部直己の『日本小説技術史』……。いとうにしてはまことに芸のない「ベタ」な羅列であり、この「随筆」で展開されている文学論、小説論、テクスト論はある意味で、『小説禁止令に賛同する』という「小説」の作者いとう自身の本音なのだと思わせる。

いとうせいこうはなぜ、このような「小説を禁止することに賛同する小説家の転向文書を模した小説」を書いたのか。

これは、かつて一六年も「小説が書けなかった」ことの裏返しであるように私には思える。つまり「小説」という形式へのあまりにも過大な期待と信頼、愛情ゆえの倒錯である。メルヴィルの『代書人バートルビー』ではないが、「なにかをしないこと」の積極的な意義というものはたしかにある。「したくもないのにさせられてしまうこと」を拒絶するのは、「したいかどうかもわからないこと」を無批判に行うことよりはずっと能動的な行為である。だが、なにかを「する」こと以上に「しない」ことによって、その対象を強く意識せざるをえない状況が、一種の病理であることは間違いない。

長らく書けずにいたいとうせいこうが、東日本大震災後に『想像ラジオ』という傑作を書くことができたのは、あれだけの巨大な災害の直後という一種の非常時だったからだろう。そこではポストモダニズムの宿命である過剰な自己意識という病理が一瞬だけ薄まり、その結果として平易で読みやすく、かつ批評性もある、きわめてバランスのよい「小説」が生まれた。しかしこの作品は、いとうの同世代であるポストモダニストの作家たちが審査員をつとめる芥川賞の選考においては高い評価を得られず、作品の質からすれば取っても少しもおかしくなかった受賞を、同世代の無理解のために逃すという文学史的エピソードを残した。

だが、その後のいとうの復活後の小説は、方法論を過剰に意識しすぎるという本来のポストモダンな姿勢に立ち戻ったがゆえに、「熱い書物」を求める――二〇三六年のではなく、まさに「現在」の日本の読者に広く受け入れられることはなかった。どんなにクールであろうとしても、小説もまた物語の一種である以上、必然的に「熱さ」を孕んでしまう宿命があり、いとうが理想とするような、読者を熱狂ではなく思弁へと向かわせるような「小説」は、要するにあまり面白くならないのだ。

『小説禁止令に賛同する』でもっとも心を撃つのは、次第に錯乱していく「わたし」が一線を踏みこえて語りはじめる、『月宮殿暴走』という架空の小説に対するのめりこみである。ここにあるのは過去にもいとうが試みたことのある「存在しない小説」への憧憬である。書きあげてしまえば退屈な「理想の小説」も、予兆として現れたときだけは奇跡の光を放つ、といわんばかりに。

いとう自身も「わたし」と同様、いまの小説のあり方に絶望しているのかもしれない。だが、この偽装転向宣言の文書が最後に行き着くのは、小説というもっとも自由な文学形式への愛であり、信頼なのである。

記❖二〇一八年一月

行き場を失った者たちが語る絶望の物語

星野智幸『焔』

平昌《ピョンチャン》冬季五輪の中継を見ようと久しぶりに民放をつけたら、開会式の前日に行われたという北朝鮮の軍事パレードの映像が不意に流れた。党宣伝扇動副部長で最高指導者の妹とされる女性幹部が「美女応援団」とともども登場する姿も何度も映される。独裁国家のこんな生々しいプロパガンダを目の当たりにすると、スポーツと政治とが不可分な関係にあることが思い起こされるだけでなく、緊迫する東アジア情勢の五輪後の展開がほんとうに心配になってくる。

日本国内では、いまだに大相撲が荒れている。昨年（二〇一七年）秋にモンゴル出身の幕内力士・貴ノ岩に暴行をふるったとされた横綱・日馬富士は現役を引退した。貴ノ岩の師匠にあたる貴乃花親方は、協会理事を解任された直後の理事選に挑んで敗れ、日本相撲協会への批判をさらにヒートアップさせている。旧態依然とした相撲協会の体質に対する「改革派」として貴乃花親方を支援する声もあるが、言動の端々に見られる「相撲道」や「角道」と「国体」を安易に結びつける国家主義的な傾向は危惧すべきだ。

今回の騒動の背景には間違いなく外国人力士、ことにモンゴル系力士の大活躍に対する日本人の複雑な感情がある。「一九年ぶりの日本〝出身〟横綱」(一八年前に横綱に昇進した武蔵丸は日本国籍を取得していたため「出身」といわざるをえない)と騒がれた新横綱・稀勢の里は、大関・照ノ富士(彼もモンゴル出身力士である)と争った昨年一月の春場所千秋楽で、本割と優勝決定戦に連勝し辛くも優勝したものの、その際に負った怪我から癒えきれず、昨年夏場所以後、五場所連続で途中休場を余儀なくされている。無理な出場を繰り返す原因が、唯一の「日本人横綱」としてのしかかる重圧にあることはいうまでもない(編註:二〇〇九年一月に引退)。

多くの外国人力士が活躍する大相撲の世界に、偏狭なナショナリズムが持ち込まれて久しい。長年の大相撲ファンを自任する小説家の星野智幸は、昨年一一月に出た『のこった——もう、相撲ファンを引退しない』にまとめられたエッセイで、こうした傾向に見られる日本社会の危うさに早くから警鐘を鳴らしていた。

スポーツとナショナリズムのただならない関係が日本で目につくようになったのは、サッカーの日本代表がワールドカップの本大会に初めて出場した一九九八年以後、さらにいえば決勝トーナメント初進出を果たした二〇〇二年の日韓共催大会以後のことだ。サッカーや野球の世界大会出場メンバーが「サムライ」と形容されるようになったのもこの頃からで(星野は二〇〇三年公開のトム・クルーズ主演映画『ラストサムライ』の影響ではないかと分析している)、スポーツの国際大会を通じて「日本人としてのアイデンティティ」を確認するという短絡的な思考と感情の回路ができあがった。そうした自己意識が大相撲へと向かえば、モンゴル出身力士に横綱を独占される状況に対する複雑な民族感情となり、モンゴル出身力士へのバッシングや「日本人力士」への過大な期待を生みだすことになったとしても不思議ではない。こうした現象は、もちろん政治の問題であり、そして文学が扱うべき問題でもある。

星野智幸が二〇〇二年に発表した作品集『ファンタジスタ』の表題作（人文書院刊「星野智幸コレクション」の『スクエア』にも大幅改稿のうえ収録）は、この連載の初期にも紹介した「新しい政治小説」の傑作であり、まさにグローバル化のもとでのアイデンティティの問題を扱っている。

この小説は小泉政権下で進展していったグローバル化と新自由主義的な「改革」に対するアンヴィヴァレントな感覚を、プロサッカー選手出身のカリスマ的な政治家・長田美次に魅せられていく女性主人公「わたし（Ñといういあだ名でよばれる）」の気持ちに託して描いたものだ。長田は元ウラワ・レッヅの選手を経て埼玉県知事となり、「国際労働者党」という名称の新党を立ち上げて国政に進出、初の首相公選選挙で圧勝して「開国宣言」をするところで物語は終わる。

やはり元ウラワ・レッヅ選手で、アジアのフットボールリーグを糾合するAリーグの指導者としてこの長田を支えるのがオイカワという男で、自身もフットサルをプレイする「わたし」はこのオイカワにも魅せられている。「わたし」は長田・オイカワがめざす道への対立軸として、女子サッカーの指導者ワカノが立ち上げようとするレインボウ・リーグ・サッカーに期待する。虹は政治的・性的なアイデンティティも含めた多様性の象徴であり、「わたし」自身が内部にいくつものアイデンティティを抱えていることが示唆されている。しかしワカノの試みは長田・オイカワにより抑えつけられ、この作品内では「わたし」の自己解放は起こりえない。

二〇〇二年はイラク戦争前夜でもあり、ナショナリズムの高まりと性急な「改革」への志向、そして戦争の予感といった要素が揃っていた。ちなみに貴乃花の最後の優勝は二〇〇一年五月場所で、怪我を押しての優勝決定戦での対武蔵丸戦の勝利に、小泉純一郎首相は「痛みに耐えてよく頑張った、感動した！」と絶叫した。貴乃花が現役を引退したのはイラク戦争が始まった二〇〇三年。この年、モンゴル出身力士として初めて朝青龍が横綱に昇進している。

私たちはその後の一五年の間に、民主党政権の成立と崩壊、東日本大震災と福島第一原発の事故、そして第二次安倍政権の成立と長期化、同政権に対する根強い批判と抵抗という経験を経てきた。海外に目を向ければ「アラブの春」の高揚と失速、その後のイスラム原理主義の台頭、米オバマ政権の成立とその反動としてのトランプ政権の登場、ＥＵのもとでの欧州統合を突き崩す難民の流入といった、激烈ともいえる歴史のうねりをみてきた。そのなかで平成という時代がついに終わろうとしている。

ナショナリズムと「改革」と戦争の予感の三点セットは、二〇一九年の改元と翌年の東京五輪、北朝鮮の核開発のエスカレーションによる東アジア情勢緊迫と、それを受けての憲法改正の動きという、より差し迫ったかたちでいま私たちの目の前に突きつけられている。

そうしたなか、ある機会に星野本人と会った際に、「相撲版『ファンタジスタ』を書いてほしい」と話したことがあった。彼が大相撲ファンであること、この世界に急速に異様なナショナリズムが流れ込んでいることへの危惧を、フェイスブックへの投稿で知っていたからだ。その後に出た『のこった――もう、相撲ファンを引退しない』には、星野智幸が文学新人賞に初めて投稿して落選した際の「智の国」という作品が、第一章だけ付録として掲載されている。とくに政治小説という体裁をとってはいないが、この作家にとって当初から相撲がいかに重要なものであったかを証明する資料となっていた。

その星野が本気で書いた相撲小説が、二月に刊行された連作短編集『焔』の最終話として収められた「世界大角力共和国杯」だ。これぞまさしく「相撲版『ファンタジスタ』」であり、星野智幸が提唱する「新しい政治小説」の実践といえる。

主人公の「ぼく」は学生相撲の力士で、四股名は「嘴太山《ハシフトヤマ》」。だが彼は、卒業後は渡良瀬《ワタラセ》部屋の「おかみさん」になると決めている。この作品に描かれた世界では、日本大相撲協会に対して「蘭皇《ランオウ》」というモンゴル人横綱が反旗を翻す。蘭皇が立ち上げた「日本大角力《おおずもう》連盟」に多くの親方や力士が移籍すると、こんどは「世界大角力共和国構想」、要するに大角力版のワールドカップ構想を発表――。こうした改革が実現した後の角界を舞台に、「ぼく」と友人のルリ（四股名を「瑠璃《ルリ》の海《ウミ》」というトルコ人の学生力士）が両国国技館で行われる共和国杯を観戦しつつ交わす議論が、この小説の主題を浮かび上がらせてゆく。

「世界大角力共和国」は「ファンタジスタ」で長田の盟友オイカワが組織したAリーグに相当するもので、急進的な改革を実行したモンゴル出身の元横綱蘭皇には、現実の「大相撲」の世界で圧倒的な強さを誇る現横綱の白鵬と、その対立者として振る舞う貴乃花親方のイメージが二重写しにされているのだろう。

作中の世界ではすでに「大角力」のグローバル化は当然の前提となっており、むしろ旧弊な保守派や、「純日本人力士」は不遇をかこっている。「純血は弱い」という言葉が角力界の常識となり、両親が日本人である力士はそのコンプレックスに悩まされる。

「ぼく」とルリは、多くの星野作品における親しい登場人物同士の関係を反復するかのように、お互いが相容れない部分では容赦ない批判を相手に浴せ続けるが、最終的な信頼関係は手放さない。「ファンタジスタ」では、「わたし」とその恋人リョウジとの関係が長田をめぐる評価によって引き裂かれてしまうのだが、「世界大角力共和国杯」はそこまでペシミスティックな終わり方をしない。なぜならこの作品に描かれるのは純血ナショナリズムが、グローバル化のもとでの多様性信仰へと、その座を明け渡した後の世界にもなお残る問題だからだ。

「ファンタジスタ」では主人公「わたし」の所属チームがユニフォームではなく「マルチフォーム」を着用するという夢が語られた。ここには当時流行っていたアントニオ・ネグリとマイケル・ハートの『〈帝国〉』という本が提唱する「マルチチュード（多様性擁護のもとでの革命的世界市民）」への期待が反映されていた。それから一五年を経たいま、ＬＧＢＴの権利擁護やヘイトスピーチ規制など大きな進歩はあったものの、日本社会は確実により厳しい状況にある。

星野智幸の作品集『焔』は、さながらペストに襲われた町で生き残った者たちが語り合う『デカメロン』のように、グローバル化と日本社会の行き詰まりによって包囲され、行き場を失った者たちが語る絶望の物語だ。その最後にファンタジックともいえる「角力《すもう》」の話が置かれているのは、いまがまさに土俵際であることを、この作家が強く意識しているからだろう。

記❖二〇一八年二月

文芸が存在するかぎり終わることはない戦い

古川日出男『ミライミライ』

この連載の初回に触れた古川日出男の長編『ミライミライ』がようやく完結し、新潮社から単行本化された。

物語の舞台となる戦後日本のあり方は、私たちが生きる現実とは少しズレている。この世界では第二次世界大戦末期にソ連が北海道に侵攻し、戦後もその占領が続いている。私たちが朝鮮半島の北半分に存在する分断国家の一方を「北朝鮮」と呼ぶのと同様、「北日本」と呼ばれる地域が存在した戦後社会が描かれるのだ。

沖縄に居座るアメリカ軍と同様、ソ連軍は講和条約締結後も北海道から撤退せず、この地に軍政を敷く。それに対する抵抗組織が、鱒淵《ますぶち》いづるという旧日本軍将校をリーダーとして南樺太で生まれ、道内にも次第に浸透していく。やがて「いづる大佐」という名で呼ばれることになるこの人物の造型は、明らかにガブリエル・ガルシア＝マルケスの『百年の孤独』において神出鬼没の活躍を演じるアウレリャノ・ブエンディア大佐を模しており、古川による同作へのオマージュであることがわかる。

一九五二年に日本と連合国のあいだで結ばれた講和条約は「全面講和」となり、本州・四国・九州の三島からなる日本国はインドの一つの州となる道を選択した。かくして連邦国家インディアニッポンが誕生することになる。そして一九七二年、アメリカが沖縄の本土復帰を認めるのとタイミングをあわせ、ソ連も北海道返還を決意する。

「むかしむかし」と語られる大戦直後の話と並行して、二一世紀における「現在」の話は「ミライミライ」というかたちで語られる。そのサウンドトラックとなるのは、北海道で生まれた新しい音楽、ニップノップだ。現代を舞台とする章における主人公はニップノップの創設者となった「最新」（サイジン）というグループの四人——野狐《のぎつね》、産土《うぶすな》、ジュンチ、ユウキである。

この物語世界では、一九七二年の「札幌オリンピック」は、抵抗組織に連なる詩人たちに対する、軍政当局による処刑とともに記憶されている。この出来事は『ミライミライ』の冒頭における重要な挿話であり、現実の「一九七二年」における連合赤軍事件に対応する。このような構成からも『ミライミライ』という小説が単なる異世界SFではなく、私たちが暮らしている現実の側の日本の姿を——ありうべきもう一つの可能性としての「ソ連による北海道占領」という項を代入することで——リアルに描き出した、緻密なスペキュレーション（思弁）小説であることがわかる。

同時にこの作品は、「小説」という散文表現が、「詩」や「詞」といった他のかたちのテキストに対し、さらには音楽や演劇や映像といった別の表現ジャンルに対し、いかに伍していくか、という問題意識に貫かれている。これは古川日出男という小説家がデビュー作以来、ごく「個人的」に抱えてきたテーマだが、そのため本作はさながら様々な表現ジャンル間の異種格闘技のような様相さえ呈している。

音楽や舞踏《ダンス》といった身体性をともなう表現に対する古川の大きな敬意、そしてそれと同じくらい大きなオブセッションは、初期の代表作『サウンドトラック』ですでに表明されていた。古川自身はやがて、自身の声と身体を晒すかたちで公然とパフォーマンスを行うようになるのだが、まだ作者自身はテキストの背後におり、テキストそのものの力で両者をねじ伏せようとした時期の力業が、『サウンドトラック』という近未来小説だった。『ミライミライ』はまずもって、この作品に対する二一世紀の作者自身からのアンサーソングといえる。

小説という表現形式によって、身体性と切り離せない音楽という表現を描くのは難しい。だからニップノップという音楽がもつ革新的な意味は、地の文の語り手＝「作者」ではなく、「私」という主語をもつ女性のジャーナリストによって語られる。作者から「私」への語りの移行は、つなぎ目がはっきりと見えるほど不器用なかたちでおこなわれ、いかにも「音楽ライター」的なレトリックに満ちた――いわば「非小説的」な文体で、ニップノップという音楽の性質が次のように語られる。

音楽史的には、おそらくこれは第二のレゲエと位置づけられたたし同時にまた第二のダブとしてポップ・ミュージックの録音のコンセプトを変革したと言えたが、一つの共通項として「周

縁性」を持っていた

このあとに語り手は「とジャーナリストは書いていた」と続けることで、「私」による語りを小説本体から切り離す。この章は全体として「私」というジャーナリストを介したニップノップ目撃譚として構成されているが、さらに別の章でもニップノップの「聖歌《アンセム》」となる『アンダーサウンド（ウィー・アンダースタンド）』という曲が、ある「書き手」による「ライナーノーツの引用」というかたちで語られる。

このように、ニップノップという音楽の新しさや魅力が作者自身によっては語られず、必ず第三者の目と言葉を介さなくてはならないのは、音楽こそがこの「小説」が対峙し、互角以上に戦わなくてはならない当の相手だからだ。古川日出男は、自分の小説にとっての最大のライバルとなりうるような架空の音楽をまず創造し、しかるのちにそれを「私」なるジャーナリストらに周到に説明させた上で、そのような音楽でさえ作中に包含しうるような、ひと回り大きな表現として「小説」を成り立たせようとしているのだ。

そのことと深く関係があるのだろうが、この作品には詩や短歌、ニップノップのリリックス（歌詞）など、「小説以外」のテキストがふんだんに盛り込まれている。

たとえば神出鬼没の「いづる大佐」がそのときどきに残したとされる短歌。

顔隠さず一挺《いっちょう》持たずさも堂々と

戸締まり忘れた北海を渡る

あるいは「最新〃」の三人のＭＣたち、なかでも倍音を響かせる不思議な「声」をもつ野狐が拾い上げるリリックスの「芽」たち。

今朝　寝床から出た後に
誰が配ったシリアル食べた？
だって　そんなにも surreal で
Yeah, シュールで

メンバーの一人、ジュンチが国際的な陰謀ネットワークに誘拐され、日本に核武装を迫るメッセージを伝えるよう強制されたとき、残された三人はジュンチの解放を求めるアクションを始める。町でささやかれている言葉をフィールドレコーディングし、リミックスしたなかに浮かび上がるアノニマスな言葉や、政治的には互いに対立しあうようないくつもの「声」が、世界中に広まった彼らの音源に付け加えられていく。
そのなかで、たとえばある声はこう主張するだろう。

発射されない核であれば

配備されるだけなのであれば
それは人を殺さないぞ！
今、ここに、平和《ピース》のための核武装を！

それに対して別の声はこうも告げる。

唯一の被爆経験を持つ日本が
核を受け容れてはならない――

これらの声はいずれも、「最新」の音楽のなかでポリフォニーの一部として響くことになる。そして『ミライミライ』という小説は、その多声性をさらに包み込む容器とならなければならない。

東日本大震災と東京電力福島第一原発の事故の後、完全に分断されてしまった人々の声が、当然のようにここには反響している。小説家はそこに安易な結論を持ち込むのではなく、「音楽」という表現がもちうる統合の力を借りつつ、それを最終的に乗り越える「物語の言葉」を紡がなければならない。そう考えると、この小説で古川日出男が挑んだ課題の大きさのとてつもなさに思い至るはずだ。

この小説は、「音《サウンド》」についての小説であった『サウンドトラック』への返歌ともいうべきだが、それだけでなく、堅牢なメガノヴェルとして構築された『聖家族』の別なるバージョンともいえる。架空の共和国ともいうべき「東北六県」のなかに幽閉されてしまった狗塚《いぬづか》兄弟の物語は、作品発表後に起きた東日本大震災と原発事故により、一種の予言性をもってしまった。だからこそ『ミライミライ』では、インドと日本とが合邦するという巨大なフィクション＝構想力を借りてでも、登場人物たちを「幽閉」するわけにはいかないのだ。

震災後の古川日出男のフィクション観は、ようやく文庫化された『馬たちよ、それでも光は無垢で』に顕著に見られるとおり、現実とフィクションの相互浸透を許容するところにある。しかも、その際に現実とフィクションのいずれか一方のみを際立った優位に立たせることなく、両者の緊張のなかにこそ文芸の「ミライ」はある、と古川は考えているようだ。

本作では、「映画」という表現ジャンルとの対峙というかたちで、そのことが描かれる。膨大な量のインド映画を見続け、作中に必ず挟まれる音楽劇を含めたそれら総体の記憶を身体化する登場人物が、物語の後半では大きな役割を演じることになる。「最新」のＤＪ――つまり言葉ではなくサウンド担当のメンバー――産土の妹・花梨である。

「むかしむかし」と語られる時代から、抵抗組織のリーダー「ゆづる大佐」の守護神であり続けてきたのは、子を守るために死んだ母熊の精だった。花梨はその精を召喚し、映画のスクリーン上に「熊人間」として登場させる。そしてこの「熊人間」は、作品内におけるフィクションと現実の皮膜（＝映画のスクリーン）を越えていつしか存在しはじめるのだ。

花梨と産土はともに、イメージとサウンドのＤＪという役割を与えられている。対して野狐は、この小説における作者自身の分身として、あくまでも言葉の――ただし書き言葉ではなく、語り言葉の――力を背負っている。

核（兵器であろうと、平和利用であろうと）という究極的な「力」に対し、言葉はどのように抗うことができるか。それは東日本大震災によって再び意識化された、私たちにとっての究極の問いである。

古川日出男は、簡単には勝ち目の見えないこの戦いにあたり、ニップノップというサウンドトラックを創出することで、言葉の「力」を賦活《ふかつ》化させようとした。そしてこの戦いは、文芸というものが存在するかぎり、決して終わることはない。

記❖二〇一八年三月

現代中国のスペキュレイティブ・フィクション

ケン・リュウ編『折りたたみ北京——現代中国SFアンソロジー』

昨年（二〇一七年）に日本でも公開されたドゥニ・ヴィルヌーヴ監督による映画『メッセージ』（原題は「Arrival」）は、中国系アメリカ人SF作家テッド・チャン（姜峯楠）の短編集『あなたの人生の物語』に収められた表題作を原作としていた。ヴィルヌーヴは次作『ブレードランナー2049』の監督に抜擢され、同作は激しい毀誉褒貶にさらされたものの、『メッセージ』のほうの出来映えは文句のつけようもないほど見事だった。地球外生物とのファーストコンタクトはSFの世界では古典的なテーマだが、そこに東洋的なモチーフを盛り込んだテッド・チャンの思弁的な短編があそこまで大胆に視覚化されていたことに驚いた。

このテッド・チャンに大きな影響を受けたことを公言しているのが、新世代の中国系SF作家、ケン・リュウ（劉宇昆）だ。すでに二つの短編集（『紙の動物園』、『母の記憶に』）と長編作品『蒲公英王朝記《ダンデライオン》』が翻訳されており日本でも熱心なファンをもつ。

ケン・リュウは一九七六年に中華人民共和国甘粛省蘭州市で生まれ、一一歳で家族とともにアメリカ合衆国に移住した。小説家として活躍するほか、マイクロソフト社で働いた経験をもつ彼は、コンピュータエンジニアとしての仕事や特許訴訟関係のコンサルティング業も行っているという。

さらにケン・リュウは、中華人民共和国で活躍するSF作家の作品を英語圏の読者に紹介する優れた翻訳家・アンソロジストとしての側面をもっている。その最初の成果である『折りたたみ北京――現代中国SFアンソロジー』が日本でも発売となり話題を呼んでいる。

ケン・リュウがこのアンソロジーに選んだ作品の書き手のバックグラウンドには特徴がある。巻頭を飾る陳楸帆《チェン・チウファン》は、ケン・リュウがその作品に惚れ込み、自らコンタクトをとった最初の中華人民共和国在住のSF作家であり、北京大学を卒業後は中華人民共和国のネット検索企業大手の百度《バイドウ》でプロダクトマーケティング部門のマネージャーを務めている。トリをつとめる劉慈欣《リウ・ツーシン》も本業はエンジニアで、国家電力投資集団の一員として発電所に勤務していたことがある。表題作を著した女性作家の郝景芳《ハオ・ジンファン》は清華大学を卒業後に経済学と経営学の博士号を得て、いまはシンクタンク勤務――といった具合に錚々たる学歴と職歴をもつ。

上記三人に加え、夏笳《シア・ジア》、馬伯庸《マー・ボーヨン》、糖匪《タン・フェイ》、程婧波《チョン・ジンボー》の四人を加えた計七人の短編一三本と、劉慈欣、陳楸帆、夏笳によるエッセイ各一本、そして編者のケン・リュウ自身による「中国の夢《チャイニーズ・ドリームズ》」と題された序文をおさめたこの本は、二一世紀に入ってその存在感をますます強めている現代中国の多種多様な側面を提示する、類まれなるアンソロジーといえる。ケン・リュウ自身も序文でこう書いている。

中国は、多様な民族や文化や階級を持ち、さまざまなイデオロギーを支持する十億人以上の国民を巻き込んだ、大規模な社会的・文化的・テクノロジー的な変貌を味わっているところで、全体像を把握していると主張するのは、だれであっても――たとえそうした大変動を実体験している人々ですら――無理です。（略）中国で生み出されるフィクションは、中国の環境の複雑さを反映しています。

実際、『折りたたみ北京』を通読する者が受け取るのは「現代中国ＳＦ」の多様性というより、「現代中国」そのもののもつ多様性だ。

編者のリュウが強調するとおり、ここでのＳＦという略称は「サイエンス・フィクション」である以上に、「スペキュレイティブ・フィクション（思弁小説）」を意味している。傑出した想像力の担い手であり、かつ広義のエンジニアやテクノクラートでもある彼らは、現代中国における社会、文化、テクノロジーの激変についてどのように思弁し、どのように描くのか。このアンソロジーは、現代中国の多様性を析出する分光器としての、スペキュレイティブ・フィクションのショウケースといっていい。

なかでも印象深い表題作は、社会階層ごとに三分割された北京市が舞台だ。この都市の「第一スペース」には社会上層の五〇〇万人が住み、「第二スペース」には次の階層の二五〇〇万人、

「第三スペース」には最下層の五〇〇〇万人が住む。二口かけて一回転するこの都市では、この三者が二四時間、一六時間、八時間ずつ「交替」で、地表で暮らすよう時空が分配されている。つまり時間的にも空間的にも究極のゲイテッド・ソサエティと化しているのである。

この設定は、中国社会の現実をグロテスクに拡大したものと受け取ることもできるが、ファンタジックな「折りたたみ都市」（なにしろ物理的に都市が折りたたまれるのだ）という表現が、そこにとどまらない想像力をかきたてる。

たしかに陳楸帆の「鼠年」の語り手が回想する奇妙な鼠駆除作戦（なにしろこの鼠は知性を持ち二本足歩行する）や、馬伯庸の「沈黙都市」で当局が採用するジョージ・オーウェルの『一九八四年』以上に過酷な言語検閲のしくみは、中華人民共和国という巨大な統制国家の現状を反映しているように思える。

しかし前者を通じて流れる叙情性やウィット、後者における西欧ＳＦの伝統への目配せと、そこから自立しつつある中国ＳＦへの自信のようなものを感じ取るならば、このアンソロジーが、たんに中国の現体制へのメタフォリカルな批判を企図した作品を集めたものではないことが理解できるはずだ。

編者のケン・リュウ自身が序文で「読者には、そのような誘惑に抵抗していただきたいのです。中国の作家の政治的関心が西側の読者の期待するものとおなじだと想像するのは、よく言って傲慢であり、悪く言えば危険なのです」と述べているとおり、本書は西側諸国からみれば全体主義的とも思える政治体制下においても、知性と想像力を備えたさまざまな書き手が存在していること、そして「スペキュレイティブ・フィクション」としての中国SFが、真に優れた小説のみが与えうる歓びを全世界の読者にもたらしてくれることを証明する試みなのだ。

ちょうどこのアンソロジーの出版と期を一にして、雑誌「アスティオン」が「中国を超える華人文学」という特集を組んでいる。これはパリ在住のノーベル賞作家・高行健《ガオ・シンジェン》、アメリカ在住の詩人で小説家のハ・ジン（哈金）、上海生まれでいまはデンマークで活躍する、やはり詩人で小説家のジンバット（馮駿）らに寄稿を求めた主流文学寄りの企画だが、この特集にもケン・リュウが「シルクパンク詩人であり、エンジニアである私」という長いエッセイを寄せている。これは彼のSF観（いうまでもなく、思弁小説としての）、さらには文学観が明瞭に語られた、実に素晴らしいものだった。

ケン・リュウは自らを「メタファーを物語に昇華し、具体的な実態を与えるフィクションの作家」だと語る。彼の出世作となった短編集の表題作「紙の動物園」では、中国からアメリカに渡った母が幼い息子につくってやった折り紙のトラが命を吹き込まれて動き出す。ここには「張子の虎（Paper Tiger）という対中国蔑視への返答と、テネシー・ウィリアムズの『ガラスの動物園』へのオマージュが込められている。ごく短いテキストにめくるめくメタファーが盛り込めたケン・リュウの初期作品は、まさにそれ自体が魔法の折り紙のようだった。

彼はエンジニアや法律の専門家であることと、作家であることには共通点があるという。それらはみな「シンボル（プログラム、契約、物語）から人工物を築くことに関連しており、システムのルールに従って具体的な結果を生み出すこと」なのだ。こうした思考法をエンジニア特有の非文学的なものとして周縁化することはできない。「シンボリックな装置の操作」こそが現代社会を動かす主要な力であり、中国に限らず、その秘訣をもっともよく知る者がこの時代における物語の最良の語り手であることは、ある意味で当然である（たとえばリチャード・パワーズの存在を想起せよ）。

このエッセイの表題にある「シルクパンク」とは、一九八〇年代に英米で流行したサイバーパンク（ウィリアム・ギブスン、ブルース・スターリングらが主導した）というネット時代を予告したSF小説のムーブメントと、そこから派生したスチームパンク（ヴィクトリア朝時代の蒸気機関テクノロジーが、その後も独自の発展を遂げた世界を前提とするSFの一ジャンル）に対応する言葉であり、彼の長編小説『蒲公英王朝記』の特徴を述べたものだ。

中国では紙の発明以前、絹が「本」の材料とされた。シルクパンクは蒸気機関やITのかわりに「紙と絹、木、動物の皮と腱、竹やその他」を語彙としてもち「人間と自然の調和を強調する東アジアの哲学の伝統を重んじている」とケン・リュウは語る。ここにはアメリカ在住の二世としてのオリエンタリズムの翳りが見られないこともない。だが、現代中国が伝統的な東洋文化の担い手であると同時に、巨大なテクノロジー帝国となりつつあることを考えるなら、それらを総体として描き切るためのシンボリックな装置として、シルクパンクはふさわしい語彙であり哲学であるといえる。

ケン・リュウや、彼が見出した『折りたたみ北京』に起用された新世代作家が描き出す物語は、エンジニアリングと想像力の結合という意味で、アマゾンやアップル、フェイスブックといったグローバルIT産業のもつ力に拮抗しうる水準に達している。

自信に満ちた彼らの仕事ぶりに比べたとき、こうした主題をほとんど扱い損ねたまま衰弱していく一方の日本文学は、その国のあり方と相似形であるように思えてならない。

文学とは言語や物語といったシンボルを操作し、最大の効果を生み出すエンジニアリングの一種なのだ、というケン・リュウの宣言は安易なテクノロジー礼賛でも屈服でもなく、人間の精神の自立と自由を高らかに謳ったものだ。こうした動きに呼応した日本人作家——たとえば故・伊藤計劃や藤井太洋のような——が、もっともっと登場してほしい。

記❖二〇一八年四月

不可視の難民たちと連帯するために

カロリン・エムケ『憎しみに抗って――不純なものへの賛歌』
多和田葉子『地球にちりばめられて』

ＥＵやアメリカでは深刻な社会問題となっているにもかかわらず、日本ではほとんど関心が持たれない話題の一つに、難民の問題がある。もっとも、日本国内に難民がいないわけではない。東日本大震災およびそれ以前のさまざまな被災地からの「避難民」は、国際法上の「難民(refugee)」ではないが、事実上の難民といえよう。

復興庁は今年（二〇一八年）四月、東日本大震災による避難民の総数は現在約六万八〇〇〇人と発表した。このうち「応急仮設住宅、公営住宅、民間賃貸住宅」に暮らす者は約四万八〇〇〇人にのぼる。震災から七年を経て、これほどの人がいまなお「難民状態」であることには驚くが、彼らのことがメディアで大きく問題となることは稀だ。同胞たる国内難民に対してさえかくも冷淡なのだから、外国の難民に向ける眼差しは想像するまでもない。

メルケル政権が一〇〇万人もの難民を受け入れる決定をしたドイツでは、二〇一五年の大晦日、ケルンをはじめドイツ全土で北アフリカ諸国等からの難民による集団女性暴行事件が起きた。この事件はメルケル政権の難民受け入れ政策に対する批判を呼び起こし、翌年の地方選挙ではユーロ圏からの離脱を含む反EU、そして難民の大量受け入れ反対の姿勢をとる右派政党「AfD（ドイツのための選択肢）」が大幅に勢力を伸ばした。

中東や北アフリカから流入する大量の難民をヨーロッパ社会にどのように位置づけるかをめぐり、EU各国ではさまざまな議論が起きている。民族主義を掲げる右派政党が伸長しているのはドイツだけでなく、他のEU諸国も同様だ。


そうしたなかでカロリン・エムケというジャーナリストが二〇一六年に書いた『憎しみに抗って——不純なものへの賛歌』という本が、ドイツ国内だけでも一〇万部を超えるベストセラーとなっている。この本はみすず書房から翻訳され日本でも読めるようになった。

エムケの本は、ドイツ東部のザクセン州クラウスニッツで起きた、難民をめぐるある事件の話から始まる。難民宿泊所に向かう途上のバスがこの町の住人によって包囲され、車中に閉じ込められた難民たちは長時間にわたり罵声を浴びせられ続けた。さらにその映像がインターネット上で流布したことで、ドイツ国内で激しい議論を呼び起こした。

エムケはこの事件が象徴するEU社会の分断についての記述を、アメリカの黒人作家ラルフ・エリスンが一九五二年に書いた『見えない人間』の引用から始める。


僕は見えない人間だ。(…)僕が言う〈見えない〉とは、僕がすれ違う人間たちの目に備わった独特の装置がもたらすものだ。

「可視―不可視」と題されたこの章は、クラウスニッツでの事件が象徴するEUにおける難民差別の話から、ニューヨークのスタテンアイランドで起きた警察官による無実の黒人青年に対する暴行致死事件の話へとつながる。エリック・ガーナーというその青年は、衆人環視のもとで死に至るまでの暴行を受ける直前、警官に対してこう呼びかけたという。

「今日で終わりにしよう」

何を終わりにするのか？　もちろん、人種間の憎しみに基づく暴力の連鎖を、である。しかしガーナーの願いは受け容れられなかった。

クラウスニッツとスタテンアイランドの事件は、どちらも動画で記録されていた。それらはインターネット上で何度も再生され、多くの人によって「日撃」された。にもかかわらず、被写体となった者たちは、攻撃者たちの、さらにはその攻撃を黙認した者たちの「目に備わった独特の装置」により、現実のその場では「不可視」の存在にされていた。

エムケはユーゴ内戦下のコソボ自治州やレバノン、ニカラグア、イラクなどの紛争地を取材してきた経験豊富なジャーナリストである。自身が同性愛者であることも公言しており、『憎しみに抗って』のなかでも性的マイノリティーとりわけトランスジェンダーに対する差別の問題を踏み込んで議論している。彼女は難民差別や人種差別、性的マイノリティー差別に対して、単なる倫理的な批判を行っているのではない。むしろ文学的ともいうべき視座がある。

この本のある章でエムケは、旧約聖書の士師記が伝える「他者の排斥についての、現在にも通じる古い物語」を紹介する。

ヘブライ語に「穀物の穂」を意味する「シボレテ」という言葉があるが、ヘブライ語を話すギルアデ人は、ヨルダン川にかかる渡し場を攻め取った際、この橋を渡って逃げようとするエフライム人に「シボレテ」と発音するよう求める。だがエフライム人は、この言葉を正しく発音できず、「スィボレテ」と言ってしまう。その結果、ヨルダン川のほとりで四万二〇〇〇人のエフライム人が殺されたという。

日本でも関東大震災の際、朝鮮人と日本人を識別するため自警団が、同様の行為をしたことがよく知られているが、エムケはこの「古い物語」が現代にも生きているという。なぜなら、それは、「社会が個々の人間または集団を拒絶し、貶める恣意的な方法についての物語だからだ。それは今日では、反リベラルまたはファナティックな思考法のメカニズムに置き換えることができる」。

難民という問題を離れるなら、日本でも「社会が個々の人間または集団を拒絶し、貶める」というファナティックな思考法は広まっている。悲しむべきことにそれは、自らを「リベラル」と規定する者たちの間にさえしばしば見られる態度だ。エムケが『憎しみに抗って』で展開する思弁的ともいえる論理は、彼女が世界中の紛争地でこれまで見てきた無数の「古い物語」への絶望を乗り越えるための知的作業であり、日本の「リベラル」が陥りがちな、敵を悪魔化して罵るファナティックな思考法の対極にある。

明らかにエムケのこの著作を読んだ上で書かれたと思われるのが、多和田葉子の『地球にちりばめられて』という長編小説である。日本語でこのような小説が書かれたことに、私は救われる思いがした。

ヨーロッパ大陸を舞台に語られるこの物語の主人公Ｈｉｒｕｋｏは、いまでは失われてしまった「中国大陸とポリネシアの間に浮かぶ列島」で生まれ育った。彼女は母語の代わりに、スカンジナビア諸国のどこでも通用する手作りの言語「パンスカ」（汎スカンジナビアの意）でコミュニケーションをする。なぜなら彼女は自分と母語を同じくする人間と、まだ出会えていないからだ。

以前に紹介したいとうせいこうの『小説禁止令に賛同する』と同様、この小説のなかでも「日本」という言葉はいっさい出てこない。いとうの作品が検閲すなわち「書かれた言葉」の自由を問題とする小説であるのに対し、多和田の『地球にちりばめられて』はオーラルな言語にとっての自由をめぐる小説である。

パンスカは「実験室でつくったのでもコンピューターでつくったのでもなく、何となくしゃべっているうちに何となくできてしまった通じる言葉」だとＨｉｒｕｋｏは言う。留学中に自分の帰る国がなくなってしまった彼女の仕事は、「メルヘン・センター」で子どもたちに昔話をすることだ。Ｈｉｒｕｋｏは、はるか以前に母国を離れ、ドイツで作家として活動することを選んだ多和田葉子自身の似姿といっていい。

Ｈｉｒｕｋｏがテレビ番組で話すのを見て、言語学を学ぶクヌートという青年が彼女とコンタクトをとる。Ｈｉｒｕｋｏはクヌートと意気投合し、自分と同じ母語で話す人物を探すプロジェクトに彼を巻き込む。カール・マルクスの生誕地でもあるドイツのトリアーという古都で「ウマミ・フェスティバル」というワークショップが開催されることが判明し、二人はトリアーの町を訪れる。この催しでダシ（出汁）について講演するテンゾという名の講師が、Ｈｉｒｕｋｏと同じ言葉を話すのではないかと期待したからだ。

多和田がエムケの『憎しみに抗って』をふまえてこの小説を書いたのではないかとの推測は、テンゾが話す言葉が「シボレテ」を連想させる、次のエピソードによる。


「はじめまして」

と言ってテンゾがぎこちなく微笑んだ。発音が硬かった。「はじめまして」の最初の「は」が空気を破るような「破」になっていて、「じ」は「ジュ」に近く、「ま」は強調されすぎ、そこからの抑揚の傾斜が丘になっている。「外国人」という懐かしい単語を思い出した。


もちろん旧約聖書のギルアデ人とも関東大震災時の日本人とも違い、Ｈｉｒｕｋｏは間違った発音をするテンゾを迫害する側には立たない。テンゾは実は、本名をナヌークというエスキモーであり、Ｈｉｒｕｋｏと同郷ではない。逆に、ようやく探し当てた同郷の男Ｓｕｓａｎｏｏは

「懐かしい言葉など口にしてくれないだけでなく、懐かしくない言葉さえも口にしてくれない」のだ。

Ｈｉｒｕｋｏはテンゾ／ナヌークが口にする独特の「はじめまして」の発音を耳にしたとき、「ナヌークという一人の独特の発音生物の存在が、わたしという独特の発音生物と出逢ったという事実の方がずっと重要なのだ」と感じる。「独特の発音生物」同士が対話を続けることこそが、「シボレテ」による抑圧、「社会が個々の人間または集団を拒絶し、貶める」事態を回避する唯一の方法なのだ。

エムケと同様、ＥＵが置かれた危機的な状況を前に思索し『自分とは違った人たちとどう向き合うか――難民問題から考える』（原題は「Strangers at Our Door」）という著作を残して今年はじめに亡くなった社会学者のジグムント・バウマンも、この短い本の最後で、哲学者ガダマーが『真理と方法』で示した考え方に倣い、こう書いていた。

プディングの味を吟味するには実際に食べてみる必要があるように、会話が相互理解や相互尊重さらには最終合意（たとえ、「不合意への合意」に至る合意にすぎなくても）への王道であることを確かめるためには、会話に入り、その過程で生じる障害物について交渉を重ねながら、会話を継続していく必要がある。

文学とは、煎じ詰めればこの「会話」を作中に内包したテキストのことだ。多和田葉子の小説は、そしてエムケの著作は、危機の時代に文学がなすべきことが何であるかを指し示している。

記❖二〇一八年五月

小説にとっての勇気とフェアネス

古谷田奈月『無限の玄』

今年（二〇一八年）の三島由紀夫賞受賞作、古谷田奈月『無限の玄』を、遅まきながら読んだ。遅まきながらと断るのは、「新潮」二〇一八年七月号に掲載された選評と本人の受賞インタビューを先に読んだからだ。

古谷田は二〇一三年、『今年の贈り物』が日本ファンタジーノベル大賞を受賞してデビューする（本作は『星の民のクリスマス』と改題されて刊行）。二〇一七年には『リリース』が三島賞候補となり落選はしたものの、同年の織田作之助賞を受賞している。「新潮」のインタビューは、この作品が掲載された昨年（二〇一七）秋に発売の、川上未映子責任編集による『早稲田文学増刊　女性号』に対する不満というか、なんともモヤモヤする思いを吹き飛ばしてくれた。

古谷田は『女性号』への寄稿を求められたとき、「少し抵抗があった」という。

フェミニズムが最終的に目指すところは男女同権であり、人類の平等だと思うのですが、そのために作られる「女性の書き手だけ」の雑誌に、私が「女性作家として」参加し、「女性作家として」の言葉を求められるということに違和感をおぼえたんです。

しかしその上で、古谷田奈月はオファーを受けた。そしてこの「違和感」を乗り越えるために自分が書けることは何かと考えたとき、「女性の書き手のみで構成される雑誌だからこそ、男性について語られねばならない、しかもそれは、男女が対比的に登場する物語ではなく、純粋に男性だけの視点で描かれるべきだと感じました」。

「小説家」としてきわめてまっとうなこの感覚が――なぜなら小説家は作中で男でも女でも、あるいは自身のアイデンティティと異なるいかなる人物でも描けるべきだから――この『女性号』からは、すっぽりと抜け落ちているように私には感じられていた。だから古谷田のこの見事な啖呵に惚れ込み、ずっと読む気になれずにいた『女性号』を買いに走ったのだった。

『無限の玄』とはこういう作品である。「百弦《ひゃくげん》」というブルーグラスバンドを家族で組んでいる宮嶋家の五人の男たちが、この物語の主要な登場人物だ。視点人物となるのは桂《けい》という二八歳の青年で、彼の父親・玄《げん》がこのバンドのリーダーである。桂には律《りつ》という兄がおり、叔父の喬《たかし》には千尋《ちひろ》という息子がいる（同い年の千尋のことを桂は「ちぃ」と呼ぶ）。

「百弦」を結成したのは玄と喬の父で、「国内のブルーグラス界では名のあるフラットマンドリン奏者だった」とされる宮嶋環《たまき》である。音楽的才能では父を凌ぐほどだった喬は、環からバンドの相続をもちかけられ承諾するが、ずっと家を出ていた玄が環の死後に戻るとリーダーの座を奪ってしまう。玄は家族以外のメンバーも追い出し、まず長男の律を、ついで桂と千尋を「百弦」のメンバーに迎え入れる。

そんな玄が他のメンバーより五日も早くツアーから戻り、利根川沿いの月夜野《つきよの》という集落にある一族の生家でひとり静かに死ぬ。物語はここから始まる。

推理小説風の――つまり、ごく普通のリアリズムの書き方で――語り起こされた物語は、死んだはずの玄があっけなく「復活」するところで、一気にマジックリアリズムの様相を呈する。遺体は間違いなく収容先の安置所にあるのに、月夜野の家の縁側には玄が「背を丸め、明かりを頼りに、手帳に何か書き付けて」いるのだ。

そしてこの日以後、玄は毎日、現れては死に、遺体が片付けられてもまた現れ、死んでいく。一度は息子の律の手にかかり、「殺され」さえもするにもかかわらず。

さて、先に古谷田奈月のインタビューを読んでいたので、まるで解答を見てから試験の答案を解くようなものだが、この作品をどう読むか。古谷田は玄の「再生」を「家父長制」あるいは端的に「おじさん」的なるものの永続性、つまり「継承され続ける男性世界」の象徴として描いたという。しかも、外部の視点から批判するのではなく、その世界の内部にいる青年・桂の視点から描いた。なぜなら――

外から見ると理解しがたい、閉鎖的で野蛮で不条理な社会形態も、内部の人々にとっては心地良い場所であるかもしれない。宝と呼べるような何かをその中で守っているのかもしれなくて、そうだとしたら、たとえそれがどんなにおぞましいものだとしてもひとまず尊重すべきではないか。それには勇気が必要だと思いますが、その勇気は平等思想を持つ者に求められるものの一つだと私は考えています。

古谷田の真意はともかく、この発言には「小説家として」という留保が必要かもしれない。フェミニストに限らず、反レイシズムの活動家やそれに与する社会学者らは、「どんなにおぞましいものだとしてもひとまず尊重すべき」という言葉には異論があるだろう。しかし、少なくとも「小説家」のふるうべき「勇気」のあり方として、私は彼女の考えに賛同したい。さらにいえば、このような勇気ある小説が掲載されたからこそ、川上未映子が責任編集したこの『女性号』はなんとか「文芸誌」としての面目を保つことができたと思うのだ。

「早稲田文学」が古谷田に『女性号』への執筆を依頼したのは、『リリース』という彼女の前作に対する素朴なフェミニズム的――あるいはアイデンティティ・ポリティクス的――解釈からだろう。事実、『女性号』には、この作品を、その角度から論じた文学研究者の論考が掲載されている。

しかし『リリース』は、そのような解釈のみに委ねられるべき作品ではなかったことが、今回の『無限の玄』からさかのぼって読むとわかる。

『リリース』は革命的な政治家ミタ・ジョズのおかげで究極の男女同権と性差別解消が実現した、

架空の国オーセルを舞台にした物語だ。主人公はビイという、一八歳のときに男性から女性へと「スイッチ（性転換）」した若者であり、そのきっかけを与えてくれた言葉を得た、二人のテロリストによるスパーム（精子）・バンク破壊未遂事件の顚末が語られる。その一人、タキナミ・ボナがバルコニーで演説するイメージは、明らかに市ヶ谷の自衛隊で演説したのちに割腹して死んだ作家と重ねられている（もう一人の「テロリスト」、オリオノ・エンダの実父＝精子提供者の名は「ユキオ」という）。

人工授精で生まれたビイの「母たち」はきわめて「ヒッピーじみた」人物であり、またこの作品において重要な役割を果たす音楽家、アラフネ・ロロは「女性」のシンガーソングライターだ。ただしこの小説に描かれる世界において、男と女のジェンダーは逆転している。男に求められるのは「たおやかさ」であり、女に求められるのは「鋭く、強く、たくましく」あることだ。そうした『リリース』のジェンダー観を再逆転させたのが『無限の玄』なのである。この作品で『リリース』におけるビイの位置を占めるのが、視点人物の桂であることは明らかだろう。

こうした対照的な作品を書くことで古谷田奈月は、ジェンダー間のバランスをとっているのではない。あくまでも「公正」であろうとしているのだ。そして、その公正さは作品内で十分に貫徹されている。言うまでもなく、小説に求められる質は、学者が書くものに求められる質とは異なる。

『女性号』の巻頭言で川上未映子はこう書いていた。

では今回、文芸誌である早稲田文学の特集では何に特化し、集中すべきか。既視感に溢れる動機だと思われるかもしれませんが、「女性」というものと「書く」という表現がどのような関係にあるのか、またそれらはどのように読まれ、あるいは、読まれないのか。（略）「人間を書く」ということと「女性を書く」ことはどのようにおなじで、どのように違うのか、あるいは違わないのか。

これらを「しっかりと形にし、記録したい」というのだが、現役の「小説家」の手による巻頭言としては、あまりにも素朴すぎるし、総花的すぎるのではないか。もっとも、このような川上の自信なさげな言葉は、自身への評価が樋口一葉のイメージとあまりにも深く結びつけられているることへの戸惑いからかもしれない（事実、この号でも川上は、樋口一葉の「大つごもり」を現代語訳して掲載しているが、純粋な自作としては「変奏」という短い「詩のようなもの」しか書けていない）。

付言するなら、古谷田奈月の『無限の玄』はこの『女性号』に掲載されたなかで、唯一の書き下ろし中編小説である（他は詩歌と掌編小説、古典の再録と海外作品の翻訳、評論・対談・座談会など）。「特化」「集中」といいながら核となる作品が見当たらないこの号を救ったのは、フェアネスと勇気にあふれた古谷田奈月による「小説」の言葉だったことを川上未映子は銘記すべきだろう。

『無限の玄』という小説自体に話を戻すならば、何度も生き返る玄は「家父長制」のゾンビだが、彼は「ヒッピーじみた」ところのある父の環のことも、宮嶋の家のことも、そして「音楽」のことも心底嫌いだった。だが玄は、このバンドを自分の「家」とみなすことで、生きる足場を得たのである。

そんな玄に率いられる「百弦」のメンバーとされた桂の視点を、「女性による文学」の特集号で書き手の一人であることを求められた、古谷田の視点に置き換えてみてもいい。「お前の家はどこだ」と問われ、桂は「百弦です」と答える。そう問いかける者から感じる圧力もあっただろう。しかし桂は、繰り返し生き返るゾンビのような玄と過ごす時間のなかで、次第に父を深く理解するようになるのだ。

この小説のなかで「無限」に再生し続けるのは「おぞましい」家父長制だけではない。それを守り続けなければならないと信じる男のなかにある「詩」のようなもの、それはいかに拙《つたな》くとも笑われるべきではない。そのことを古谷田奈月は書いている。

つまり『無限の玄』は、巧まずして同作を収録した『早稲田文学増刊　女性号』に対する、もっとも優れた批評（もちろんそれは「批判」ではない）になりえているのだ。同時にそれは、このようなかたちでしか「女性」についての語りが成り立ち得ない、現在の日本文学あるいは日本語表現全体に対する批評でもある。

記❖二〇一八年六月

「震災（後）文学」という枠組みの崩壊

北条裕子『美しい顔』

今年（二〇一八年）の群像新人文学賞を受賞し、芥川賞候補にもなった北条裕子の「美しい顔」という小説をめぐり騒動がもちあがっている。「美しい顔」は東日本大震災の被災地を舞台とする一七歳の女子高生が語り手の長編小説であり、今年の「群像」六月号に掲載された。被災地の生々しいリアリティを描いた作品として選考委員の評価も高く、発表後も好意的な書評が続いていた。

ところで、北条裕子は受賞作と同時に掲載された「受賞のことば」で、自分自身は東日本大震災の被災地を一度も訪れていないこと、被災者ではない自分が一人称で震災を題材にした小説を書いたのは「罪深いこと」だと述べている。では、彼女はどのようにして「被災地のリアリティ」なるものを描いたのか。

今回の騒動の発端は、読売新聞の二〇一八年六月二九日朝刊が『芥川賞候補作に参考文献つけず、掲載誌おわびへ』と報じたことだ。この報道に先立ち読売新聞社の取材を受けた群像編集部でも、「美しい顔」での被災地や震災の描写が複数の参考文献に依拠していたことは把握していた。とくにノンフィクション作家・石井光太の『遺体——震災、津波の果てに』（新潮社）と、東北学院大学の金菱清教授が編纂した「震災の記録プロジェクト」による『3・11 慟哭の記録——71人が体感した大津波・原発・巨大地震』（新曜社）とは記述に類似した箇所が多く、前者とは単行本化の際にはその箇所の表現を改めるという方向で話が進んでいた。またこの二冊を含む「美しい顔」の執筆時に参考にした文献の一覧を「群像」八月号の誌面に掲載することも、この段階で合意に至っていた。

しかしこうした状況が新聞報道により明らかになるとインターネット上で作者および作品へのバッシングが始まり、収拾がつかなくなった。さらに新潮社がこの報道を受けて「単に参考文献として記載して解決する問題ではない」とのコメントを発表したところ、講談社側が突然態度を硬化させ、七月三日に「小説という表現形態そのものを否定するかのようなコメントを併記して発表されたことに、著者北条氏は大きな衝撃と深い悲しみを覚え、編集部は強い憤りを抱いております」との声明を出したことから混乱が深まった。

講談社は七月四日に「美しい顔」の雑誌発表と同一バージョン、すなわち類似表現を訂正しないままのものを突如インターネット上で公開し、「評価を広く読者と社会に問う」とした。これに対して新潮社は、さらに七月六日に反論。ネットでの中傷には同情するが「そうした状況をつくり出した原因があたかも弊社にあるかのような講談社の声明は、本末転倒」であり、「版元として冷静な対応」をするよう諫めた。

これに対して講談社は七月九日に北条裕子自身のコメントをネットで公開。主要参考文献として挙げられた著作の「著者・編者と取材対象者の方々へ不快な思いをさせてしまったことを心からお詫び」した上で、「震災をテーマにした小説を世に出したということはそれ自体、罪深いことだと自覚」はするものの、「それでも私には被災地をテーマに小説を書く必要がありました」と弁明した。そして自らが「示唆」を受けた箇所の修正には言及しなかった。

ここまでが本稿執筆時点までの事態の推移だが、このあと七月一八日には「美しい顔」も候補作となっている、今年上半期を対象とする第一五九回芥川賞の選考会が行われる。そこではおそらく「小説という表現形態そのもの」をめぐる議論が行われることになるだろう。

ところで、「美しい顔」とはどういう小説なのか（註：本作からの引用は初出の「群像」二〇一八年六月号より）。

東日本大震災で甚大な津波被害を受けながら、そのことが知られることなく五日間にわたり孤立状態に陥った、ある小さな町がこの物語の舞台である。一七歳である主人公サナエは弟のヒロノリとともに震災と津波の難を逃れ、避難所で家族との再会を待ちわびている。サナエの父親は彼女が一二歳のときにすでに亡くなっており、震災時は三人家族だった。

看護師である母のキョウカは「日頃から町内会やＰＴＡ、福祉関係のボランティアに走り回」っているような人物であり、震災時も仕事で姉弟とは別の場所にいた。だが彼女は果たして無事でいるのか、という素朴な疑問に読者の関心が向かないよう、サナエは作品の冒頭から露悪的で饒舌な語り手として登場する。
サナエはまず、被災者に対して無遠慮にカメラを差し向ける、「青みの強い」ジーンズを履いた青年の「優雅なダンス」を克明かつ意地悪に描写する。そのことで、自らに向けられる眼差しすべてを、たとえそれが善意によるものであっても拒絶する頑なな態度が示されるのである。だがこうした饒舌や露悪的なポーズも、そのことにサナエ自身が気づいていることによる自己嫌悪も、実は無意識では受け入れていた母の死から目をそむけるための演技だったことがやがて明らかになる。
この小説のクライマックスは——その描写には石井光太の『遺体』から「借用」されたと思しきディテールがいくつもあるが——遺体安置所でサナエが母と再会する場面だ。

こちらですと言われたほうを見るとそれがもう母だと感覚でわかるのである。（略）そのときの私はファスナーを摑む警察官の爪の先だけを見ていてああこの人は綺麗に爪を切り揃える人なんだな几帳面な人は部屋もきれいだろうなと思っていたのにファスナーが半分ひらいたところでそれがもう母だとわかるのである。気配が母なのである。私は〇才の時からこの人の気配に育てられてきたのでわかるのである。顔が半分と少し潰れていてもそれが母だとわかるのである。

「わかるのである」という言葉の連打は、主人公が受けた打撃の大きさを余すところなく表現している。この作品を特徴づける描写を一つだけ選ぶとしたら、多くの者がこの場面を選ぶだろう。母の顔は「半分と少し潰れて」いるが、サナエはそんな母の顔を美しいと思う。本作の題名「美しい顔」は、そんな母の死に顔と、高校で準ミスに選ばれたという主人公自身の顔を二重写しにするための言葉だが、この母子以外にも多くの登場人物の「顔」が様々に描写される——というよりも、まるで仮面劇のようなこの小説ではサナエも含めたすべての登場人物が、ほとんど「顔」だけでしか存在していない。

強烈なモノローグ（その大半は改行なしで延々と続く）のみで表象されるサナエも、彼女がいったいどのような人物なのか、その姿かたちのディテールが具体的に描写されることは決してない。震災前はとても「美しい顔」の持ち主であったことのみが、彼女自身によって保証されるだけだ。

震災被災地は一度も訪れたことがないと「受賞のことば」では一種、啖呵を切った観さえあったこの小説の作者は、のちに発表されたコメントでは、意外にも自らの「想像力」に対して自信なさげだった。参考文献の扱いの不備——というよりも、あからさまな借用や盗用——ではないかと批判された部分について、北条裕子はこう弁明している。

　いくつかの場面においては客観的事実から離れず忠実であるべきだろう、想像の力でもって被災地の嘘になるようなことを書いてはいけないと考えました。

さらにこのあとには、以下のような驚くべき言葉が続いた。

自分が表現したかったことを表現するならば、同時に、他者への想像力と心配りも持たなければなりませんでした。大きな傷の残る被災地に思いを馳せ、参考文献の著者・編者を始めとした関係者の方々のお気持ちへも想像を及ばすことが必要でした。

「美しい顔」という小説が読者を戸惑わせるのは、主人公のサナエがあまりにも精神的に幼く、自らの目に映る風景の解釈がことごとく独善的で想像力に欠けることだ。しかし読者は、そのような語り手の目をとおしてしか、この物語に参加することができない。そんな「想像力に欠ける主人公」が語る一人称の小説の作者もまた、この作品を書き上げるにあたり、ほとんど想像力というものに依拠しなかったことがわかる。

この小説はひたすら主人公の「心理の流れ」のみによって駆動している。そして東日本大震災の被災地を舞台にしていながら、サナエが世界に向けて投げかける視線は被災者のものというよりは「外から期待される被災者像」をあらかじめ内面化したものであり、そのことにも自覚的であるサナエは一種の「信頼ならざる語り手」といっていい。

彼女の「顔」は、冒頭で登場する青年にとっての漆黒の巨大なカメラと同様に「仮面」である。

だが、若い女性が「美しい顔」というタイトルの小説を書けば、作中でそれが意味するものがなんであろうと、自己言及的なものとして受け取られる。作者自身が実際にどのような容貌であるかとは無関係に、読者は題名の向こうになんらかの「顔」を期待（あるいは端的に欲望）してしまうというメカニズムが、「小説」という大衆向け商品には備わっている。だとすれば「美しい顔」という題名も、作中で繰り返される「顔」への言及すべても、この作品の本当のテーマを隠すためのミスリードといえるかもしれない。

この小説の中では死者と生者が画然と分かれており、生から死へとステータスを変える瞬間が描かれることはない。だからサナエは安心して、こう語ることができた。

私は私の美しいイメージにあこがれを抱く。波のあっち側とこっち側。海沿いの町と内陸部。私はおそらく、そのどちら側へも行けたんだ。

でもこれは嘘である。決してサナエは「あっち側」には行けなかったし、本当は行く気もなかった。行けなかった自分を処罰したいという、本来であれば背負い込む必要のない自罰感情をもっていただけだ。サナエはその感情から最終的には解き放たれる。

かつて村上春樹は、小説を書くことは自己療養であると、デビュー作の主人公に語らせていた。新人作家の第一作がしばしば自己療養のために書かれるというのは凡庸な事実だが、そのためにこれほどまでに大掛かりな舞台装置が果たして必要だったのか。
いずれにしても「震災（後）文学」という枠組みは、この小説の登場によって完全に崩壊したといえるだろう。

記❖二〇一八年七月

批評が成り立つ場としての「うたげ」

三浦雅士『孤独の発明──または言語の政治学』

批評家として、いまその人がなにを書くのかに関心がもてる、私にとってほぼ唯一の書き手は、三浦雅士である。とりわけ二〇〇〇年以後に「群像」誌上で展開されてきた彼の一連の仕事の行方には注意を払ってきた。それはまず小林秀雄論であり一九六〇年代論でもある『青春の終焉』として結実し、続いて夏目漱石論であり卓抜な丸谷才一論でもある『出生の秘密』という成果を得た。

二〇〇五年に上梓されたこの『出生の秘密』には、最終盤に「孤独の発明」という章が設けられている。アメリカの作家、ポール・オースターが父との関係を描いた小説に同一の題のものがあるが、この章で三浦は、ヘーゲル、フロイト、ラカン、そしてルソーまで動員しながら、うまくこの本を締めくくることができずにいた。

結局、『出生の秘密』は、丸谷才一の「樹影譚」という優れた短編小説についての、きわめて長い注釈のようなものとして終わってしまった。

その後、三浦は「群像」誌上で、二〇一〇年から『孤独の発明』という題の連載をはじめる。連載時にその数回を読んだが、いずれ単行本にまとまってから読めばよいと思い、そのままにしていた。だから今年（二〇一八年）六月に『孤独の発明――または言語の政治学』という題名で久しぶりに三浦雅士の単著が刊行されたとき、当然これはその連載をまとめたものだと思い込んでいた。

しかし本書は、実は三浦がその後二〇一六年から二〇一七年にかけて「群像」で連載した「言語の政治学」をまとめたものだった。

連載時の「孤独の発明」より先にこちらが刊行され、タイトルにも『孤独の発明』という言葉が採用されている以上、本書が三浦雅士という批評家にとっていかに重要な著作であるかは明らかだろう。

『孤独の発明――または言語の政治学』は、二〇〇八年に刊行された『日本語が亡びるとき――英語の世紀の中で』というたいへんに議論を呼んだ著作で作家の水村美苗が展開した、「現地語・国語・普遍語」という概念を再検討するところからはじまる。三浦は水村のこの本の英訳が刊行されたのを機に再読し、「あらためて名著の感を深くした」と述べるのだが、この本への言及はすぐに終わり、本書は三浦自身の「言語論」として急展開していく。あくまでも水村への言及は、その露払いといっていい。

『孤独の発明――または言語の政治学』では、おもに三つの議論が平行して展開していく。

ひとつは人類史における「言語の発生」の意味を、生物史における「視覚の発生」にまで遡って検討するという、いわば一〇万年単位の思考である。本書において三浦が依拠するのは、アンドリュー・パーカーの『眼の誕生――カンブリア紀大進化の謎を解く』という著作である。もうひとつは日本文学史における天台本覚思想の系譜――これを三浦は鈴木大拙から小林秀雄、井筒俊彦にまで射程を伸ばして論じるのだが――に対する根源的批判であり、この議論の根拠となるのは、袴谷憲昭の『本覚思想批判』と松本史朗の『縁起と空――如来蔵思想批判』である。前者は一九九〇年刊、後者は一九八九年刊という古い書物だが、三浦は『孤独の発明――または言語の政治学』の刊行後に「群像」二〇一八年九月号誌上で行われた翻訳家・柴田元幸との対談のなかで、両者についてこのような驚くべき発言をしている。

言語と宗教は切り離せないからです。一九八〇年代から九〇年代にかけての日本の文芸批評の中心は駒澤大学仏教学部にあったとさえ思えるほどです。ただ、残念ながら、僕はまったく知らなかった。

驚くべき、というのはもちろん「一九八〇年代から九〇年代にかけての日本の文芸批評の中心は駒澤大学仏教学部にあった」の部分である。なぜならこの時期こそ、三浦自身がその端緒を切り開いた日本のポストモダニズム批評が大きな影響をもった時期だからだ。

三浦雅士は批評家としてだけでなく、優れた編集者として知られている。青土社の雑誌「ユリイカ」と「現代思想」をそれぞれ成功させた功績者であり、同社を離れて以後も彼が発掘し育てた書き手たちと伴走し続けた印象をもっていた。一九八九年から九〇年にかけては『季刊思潮』誌上で、柄谷行人・蓮實重彥・浅田彰とともに「昭和批評の諸問題」という座談会に参加しており、さらに野口武彦を交えた五名による「明治大正篇」にも参加し、これらは最終的に柄谷篇『近代日本の批評』としてまとめられている。

さらに、この流れを強く意識した批評家の東浩紀は、自らが主催する「ゲンロン」誌上で「現代日本の批評」と題した座談会を組織し、のちに『現代日本の批評　２００１―２０１６』として刊行している。三浦の先の発言は、いわばこれらの仕事を根底から否定するものだといっていい。

三浦が『孤独の発明――または言語の政治学』で展開する三つ目の議論は、これこそが本書の眼目といっていいのだが、大岡信の『うたげと孤心』という著作に多くを負っている。大岡がこの本で論じた対象はおもに紀貫之と後白河法皇だが、ことに前者については文芸批評史の観点からも大きな意味がある。

正岡子規が近代和歌のスタートに際し、『歌よみに与ふる書』で「貫之は下手な歌よみにて『古今集』はくだらぬ集に有之候」と切り捨てたことはよく知られている。しかし同書で大岡は、子規のこの議論を批判し、貫之への再評価を行っているのである。

大岡のこの議論を支持する三浦は『青春の終焉』でも、坪内逍遥が『当世書生気質』で「仁義八行の化物」として葬り去ろうとした馬琴の『南総里見八犬伝』を、近代文学すなわち青春の文学の劈頭《へきとう》として論じていた。いずれも通俗的な近代文学史の理解を転倒させる視点だが、先の「一九八〇年代から九〇年代にかけての日本の文芸批評の中心は駒澤大学仏教学部にあった」との発言とあわせて読むならば、これは遠回しの柄谷行人批判とも受け取れる。

柄谷がその出世作『日本近代文学の起源』で依拠したのは、まさに正岡子規の盟友・夏目漱石の「写生文」という観念だった。この観念は当然ながら子規の歌論に多くを負っており、事実、柄谷は一貫して「短歌的叙情」を強く嫌っている。つまり柄谷の仕事は子規の「貫之は下手な歌よみにて『古今集』はくだらぬ集に有之候」の延長線上にある。

さらにいえば、言語の発生の起源を、カンブリア大爆発による視覚の発生まで遡行しようとする三浦の一種異様ともいえる時間的スケールの大きさも、柄谷の『日本近代文学の起源』に対する返答といえるかもしれない。

「近代文学」すなわち「青春」の終焉に対する認識では、三浦と柄谷との間にそれほど大きな違いはない。村上龍や村上春樹が登場し中上健次が死んだ時点で「近代文学」は終わり、同時に「青春の文学」も終わった。二〇〇〇年代に入ってからの三浦雅士の仕事が際立つのは、その「死」を終わりとしてではなく、より大きな文学観、文学論の始まりとしてとらえているからだ。

大岡信の『うたげと孤心』は、文学という営為には「うたげ」と「孤心」という二つの焦点が欠かせないことをいう著作である。「孤心」とは「孤独」と同義であり、我々が「近代自我」などと呼び特別扱いしてきたものは万葉から古今集の時代にすでに存在していた。「うたげ」は

「宴」だが、単なる宴席のことではない。和歌における歌合、俳諧における連句といった集団制作の場、そこで行われる「笑い」を含む交歓のことである。

三浦が『孤独の発明――または言語の政治学』のなかで自身に絶えず問いかけるのは、「芸術的感動」と「宗教的感動」は一つのものであり、別ではありえないはずだ、という彼の文学理解の根幹にかかわることだ。これを切り離してしまえば、前者は単なる「孤独」に陥り、後者はファシズム的な熱狂にさえ至るだろう。

三浦はこの本で、思いがけないほど自分の個人史を赤裸々に語っているが、「孤心」と「うたげ」という言葉は、一九六〇年代の学生運動の時代における「孤立」と「連帯」に相当する。「連帯を求めて孤立を怖れず」という谷川雁の言葉がこの時代を象徴するものとしてよく引かれるが、三浦が大岡信を介して発見したのは、少なくとも文学的表現においては、「孤心」と「うたげ」（つまり「孤立」と「連帯」）は同時に一つのことでありうる、という真実だったのではないか。

「群像」誌上で三浦がこの連載（題名は「言語の政治学」だった）を続けていた二〇一七年四月、大岡信が亡くなった。大岡の『うたげと孤心』は同年九月に岩波文庫に収められ、その解説を三浦雅士が書いている。『孤独の発明――または言語の政治学』の根幹部分はこの解説に尽きており、遠まわしの柄谷批判のような夾雑物がないぶん胸に迫る。

大岡信がまだ季刊誌だった「すばる」誌上で、『うたげと孤心』のもとになる連載をしていたのは、一九七三年から翌年にかけてである。『孤独の発明――または言語の政治学』の最終章

（「飛翔する言葉――社交する人間の「うたげ」）で三浦は、大岡が丸谷才一や詩人の安東次男と一九七〇年に始めた「連句の会」の存在を明かしている。安東、丸谷が亡くなった後、三浦はこの会に参加するようになり、現在も歌人の岡野弘彦、俳人の長谷川櫂とともに続けているという。

このことが明らかにするのは、三浦雅士の『出生の秘密』と『孤独の発明――または言語の政治学』が、丸谷才一や大岡信との「社交」によって書き上げられた著作だということである。ことに大岡の『うたげと孤心』は、批評という行為が避けがたくもつ社交＝交歓の側面を際立たせることで、どんなにか三浦自身の「孤心」をも和らげたことだろうか。

批評は社交であり、社交は批評である。もちろん社交辞令という意味などではない。だが、批評家による「座談会」やある種の書評がすでに「社交辞令」と化したいま、「連句」こそが文学の、そして批評という行為の本質に迫るものだという告白にも読める。その意味で『孤独の発明――または言語の政治学』の読後感は痛切なものであった。

記❖二〇一八年八月

マンガによる「漫画世代」への鎮魂

山本直樹『レッド 1969〜1972』

松本智津夫（麻原彰晃）をはじめとするオウム真理教事件の死刑囚一三人が今年（二〇一八年）の七月に相次いで死刑執行されたとき、そういえば連合赤軍事件や連続企業爆破事件の死刑囚や無期懲役囚はいまどうしているのかと、ふと思った。

ウェブで死刑確定囚を調べると、益永利明（旧姓・片岡）、坂口弘、大森勝久といった名が見つかる。またウィキペディアを見ると、無期懲役となった吉野雅邦も千葉刑務所で服役中とされている。「政治の季節」の終わりを象徴するといわれる一九七〇年代の一連の陰惨な事件の当事者は、オウム真理教事件の死刑囚よりもはるかに長い月日を獄中で過ごしているのかと思うと、不思議な感慨を覚えざるを得なかった。

そんなことを考えていた矢先、山本直樹が二〇〇六年から断続的に連載してきた連合赤軍事件を題材とする長編マンガ『レッド 1969〜1972』シリーズが、この八月で完結した。単行本の巻数にして全一三巻（『レッド』が全八巻、『最後の60日　そしてあさま山荘へ』が全四巻、『最終章　あさま山荘の10日間』が全一巻）、執筆期間はのべ一二年にわたる労作であり、連載途中の二〇一〇年には第一四回文化庁メディア芸術祭マンガ部門優秀賞も受賞している。

　この作品の連載が続いていた二〇一一年二月五日には、連合赤軍の最高幹部である死刑囚の永田洋子が獄中で六五歳で亡くなった。永田の死により、この事件の収監者は死刑確定囚の坂口弘と無期懲役の吉野雅邦だけとなった（一九七五年に日本赤軍がクアラルンプールで起こした大使館占拠事件で超法規的措置により出国した坂東國男は、現在、生死不明）。


　永田洋子の死を契機にしたと思われる文学作品として、二〇一四年から二〇一六年にかけて「文藝春秋」に連載され、昨年（二〇一七年）刊行された桐野夏生の『夜の谷を行く』がある。幹部や死者たちについてはほぼ実在の固有名を用いつつ、最終段階で山岳アジトから逃亡した女性兵士の「その後」を描いたこの物語は、「あさま山荘」に立て籠もり銃撃戦を行った男性の幹部や兵士たちの視点からではなく、その妻や恋人であり、彼らの母でもあった女たちの視点から、あの事件がもつ、もう一つの重要な様相を提示した佳作だった。

　二一世紀に入ってからの連合赤軍事件にまつわる作品としては、このほかにも若松孝二監督による二〇〇八年公開の『実録・連合赤軍　あさま山荘への道程』や、歴史社会学者の小熊英二が二〇〇九年に上梓した、上下巻でのべ二〇〇〇ページを超える大作『１９６８』を挙げることができる。

一九七二年二月といえば、札幌オリンピックのスキージャンプ競技で「日の丸飛行隊」が金銀銅メダルを獲得したことでも記憶されているが、その日（二月六日）までに連合赤軍の山岳ベースではすでに一一人の死者が出ていた。とどまるところを知らない同志殺しは、このあとで一二人目の被害者を出してようやく収束する。

山本直樹の『最終章　あさま山荘の10日間』が描くのは、その後の一九七二年二月一七日から二八日までの日々、つまり逃亡者と逮捕者が相次ぎ、最後は五人まで減ったメンバーが軽井沢の「あさま山荘」に籠城し、包囲した警官隊との激しい銃撃戦を経て逮捕されるまでである。だが『レッド』シリーズが傑作となりえたのは、このような結末（すでに歴史的な神話となりつつある）に至る過程のささやかなディテールが、まさに「マンガ」でしか描きえないかたちで描かれていたからだと私は思う。

連合赤軍事件に関する当事者たちの記録はきわめて大量に残されており、事件の外形的な部分を再構築することはそれほど難しくはない。だが、まだ二〇代の若い男女からなる集団（革命党派と自称していたとはいえ）が山岳アジトで一二名、それ以前の粛清で二名、のべ一四名もの「同志殺し」をしていく過程を「再構築」するのは、ノンフィクションであれフィクションであれ、創作者にとって辛く厳しい作業であるに違いない。

事件に関する資料と突き合わせて『レッド』を読んだ人は、ちょっとした仕草やセリフに至るまで、この作品が実際に起きた出来事をきわめて忠実に再現していることに気づくだろう。総勢三〇名を超える若い男女それぞれの、いまから見れば愚かしくも真摯で生真面目な「革命」への意志と、それを支える貧弱な現実、そして男女間のほのかな交情。それは活字による表現ではうまく描けないし、三時間を超える長尺となった若松孝二の映画でも描ききれなかったものだった。

山本直樹はこの物語を実際の出来事に「きわめて忠実」に描くと同時に、いくつかの仕掛けをほどこした。まず登場人物の名前がすべて「山の名前」にちなんだ仮名になっている（最高指導者の森恒夫は「北」、永田洋子は「赤城」、坂東國男は「志賀」、坂口弘は「谷川」、吉野雅邦は「吾妻」、植垣康博は「岩木」）。

山本はなぜこのような描き方にしたのだろう。「永田洋子」や「森恒夫」の名はすでに一定の意味を担ったキャラクターとして固定化されているため、ステレオタイプな連想から登場人物を自由にするためだろうか。彼らは現実の行動においても本名ではなくコードネームで呼び合っていた（小熊英二『１９６８』によれば、森の組織名は「村上」だったという）というから、むしろ仮名のほうが「リアル」だともいえる。

もう一つの仕掛けは、物語がはじまった段階から、のちに殺害される運命にある登場人物の「絵」に、ナンバリングがされていることだ。①から⑮までのこの数字は、牧歌的ともいえる雰囲気ではじまる物語に、いやがおうにも緊張感を与える。この「死亡フラグ」ともいうべき刻印は、同じ時代を同じように生きながら、生と死のあちら側とこちら側にわかれた者たちをあらかじめ峻別しており、初読の際はそこがとても辛かった。

山本はさらに登場人物たちの「その後」の運命を繰り返し、カウントダウンで記述する。連載初回ですでに「赤城（永田）」はこう描かれている。

赤城　この時24歳　群馬県山中で逮捕されるまであと898日　死刑確定まであと8569日

こうした死へのカウントダウンの明示により、『レッド』という物語には絶えず不吉な予兆がつきまとう。この作品で山本直樹は、ふだんなら得意とするエロ描写やコミカルな場面を禁欲的にきわめて効果的なところでのみ使い、ポーカーフェイス気味の感情表現と間合いの巧みさで、この時代の空気感や登場人物相互の関係を浮かび上がらせている。

物語が後半に進むにつれ、丸付き数字のスティグマを負った登場人物は減っていく。最終巻の『最終章　あさま山荘の10日間』に入ると、連合赤軍側では死ぬべき者たちはすでに皆死んでいる（そのかわりに民間人と機動隊の死者が、同様の数字で事前に示される）。陰惨な同志殺しは終わり、人質に危害が及ぶこともないことをあらかじめ知る者は、この日のテレビ中継から感じたのと似た爽快感を、この『最終章　あさま山荘の10日間』からも感じるかもしれない。だが『レッド』という作品の重要な部分は――そして「連合赤軍事件」にとって真に重要なエピソードは――この一つ前の巻で終わっていたのだ。

多くの論者が指摘するとおり、連合赤軍事件は「政治の季節」の終わりを告げるものだった。「政治の季節」とは、言い換えるならば若い人々の意識が利己主義よりも社会正義の実現に向かった時代である。それは「理論」(頭脳による世界把握)が、性的でもありうる「身体」を抑圧し続けた時代でもあった。連合赤軍事件は、その両者が反転する瀬戸際で起きた悲劇であり、これ以後、後者が前者にとってかわるのだが、そのためにこの事件がもつ悲劇性はその後の世代にとっては理解しがたくなった。

ところで、連合赤軍事件以前にハイジャックによって日本を離れた赤軍派の「よど号」グループは、自分たちを「あしたのジョー」になぞらえていた。大塚英志は『「彼女たち」の連合赤軍――サブカルチャーと戦後民主主義』のなかで、永田洋子が「乙女チック」と呼ばれた少女マンガのような絵を描いたことを重視している。そして当時四〇歳前後だった手塚治虫は、連合赤軍事件に触れて「映像で育った若い人」「漫画世代」と呼んで危険視したのだという(小熊英二『1968』)。連合赤軍事件そのものが、どこかしらマンガに取り憑かれているのである。

連合赤軍事件を題材にした、あるいはその強い影響化に書かれたフィクション作品は、事件後に断続的に発表されてきた。一九七九年には円地文子『食卓のない家』と村上春樹『風の歌を聴け』が、一九八二年には高橋源一郎『さようなら、ギャングたち』が、一九八四年には三田誠広『漂流記1972』が、一九九八年には立松和平『光の雨』(連載時に盗作と指摘され全面改稿)が、二〇一七年には桐野夏生『夜の谷を行く』が書かれた。そして今年の「新潮」八月号に四方田犬彦が発表した初の小説作品『鳥を放つ』(註:書籍化に際し『すべての鳥を放つ』に改題)はまさに「一九七二年四月」、つまり連合赤軍事件直後に大学に入学した世代の物語である。

円地文子と立松和平をのぞく上記の書き手、とりわけ村上春樹、高橋源一郎、四方田犬彦は、まさに手塚のいう「漫画世代」であり「映像で育った若い人」だ。その世代が果敢に挑みながら、活字ではどうしても描ききれずにいるディテールを、（おそらく事件への世代的な思い入れが薄いがゆえに）山本直樹は「マンガ」として描き切ることに成功した、と私は考える。

マンガは――とりわけ山本直樹が描くようなエロマンガは――視覚的な快楽を最優先して制作される表現だ。事実をもとにしたノンフィクションではあるが、山本は『レッド』でもマンガという表現形式が本来的にもつ快楽原理を手放さなかった。だからこそ、「頭脳と身体の乖離」がもたらした連合赤軍事件という悲劇の本質を、余すことなく描きえたのだ。

これこそがマンガによる「漫画世代」への正真正銘の鎮魂ではないか。

記❖二〇一八年九月

「政治と文学」はいま、いかに語りうるか

赤坂真理『箱の中の天皇』

しばらくすれば世間は忘れてしまうだろうが、先頃「文藝評論家」を名乗る右派論客の雑誌寄稿をめぐって一騒動があり、結果として掲載誌の「新潮45」という雑誌が休刊（事実上の廃刊）となった。

そこに至る経緯を見ていて不思議だったのは、マイノリティの権利という（行政ではなく）政治をめぐる議論が、個人の「生きづらさ」といういわば文学的な問題とされてしまうことへの批判が皆無だったことだ。

むしろこの「文藝評論家」への批判は、その寄稿を掲載した新潮社への批判、しかも文芸出版社としての「品位」をめぐるものとなることで、さらに「文学」的なものになっていった。もちろん文学と政治を切り離すことなどできないが、本来は政治的な問題であったことを文学的な問題としてのみ語るようになっては本末転倒である。そしてこの「文藝評論家」が狙ったのは、まさにそのことだった。

この騒動はおもにインターネット上で展開したが、「新潮45」休刊後に議論を引き受けたのは新潮社の文芸誌「新潮」だった。ツイッター上で自社批判をRTした新潮社の編集者の行動に端を発し、多くの小説家やライター、書店までが騒動に巻き込まれた。当事者である「文藝評論家」がまったく矛を収めるつもりがない以上、なんらかの対応が新潮社の媒体によって行われるのは当然のことだったろう。

「新潮」での対応は二つのかたちをとった。ひとつは二〇一八年一一月号における編集長・矢野優による「編集後記」である。矢野はこれまで新潮社が公式的には名指ししていなかった問題の在り処が、当該「文藝評論家」であることを明らかにした上で、その寄稿を掲載した「新潮45」の責任は文芸誌である同誌にも及ぶとし、「差別的表現に傷つかれた方々に、お詫びを申し上げます」と述べた。

もう一つは同じ号での高橋源一郎による緊急寄稿である。やはり名指しで『「文藝評論家」小川榮太郎氏の全著作を読んでおれは泣いた』と題された五ページほどの小論は、この書き手のなかに「文学が好きで好きでたまらない、いい人」であり「他者性への畏れや慮りを忘れ」ない「文藝評論家」としての「小川榮太郎・A」と、「無神經」で「傍若無人」な「小川榮太郎・B」という二つの人格を見るという論旨になっている。そして高橋は後者を批判しつつも、前者をなんとか救済しようとするのだ。高橋はこうした矛盾が同居する状態をジョージ・オーウェルの「二重思考」になぞらえ、「強大な権力に隷従するとき必要な、自らの内面を誤魔化すための高度なシステム」とも呼んでいるのだが、とってつけた感は否めない。そもそも、この程度のことを言うためなら「緊急」を要しない。

文学者が他に職業をもつことはままある（高橋源一郎も大学教員である）し、両者の関係が必ずしもすべて「二重思考」ではありえないとすれば（「軍医」という国家官僚でもあった森鷗外はどうだったのか、ということを考えてみればよい）、BとA、つまり「政治」と「文学」の分裂についてはもう少し深く掘り下げて考えるべき問題がある。

政治と文学をめぐる言葉でもっとも有名なのは、昭和天皇の戦争責任をめぐる談話だ。一九七五年、初の訪米からの帰国直後に記者団から「あの戦争」への戦争責任について問われた昭和天皇は、それを「言葉のアヤ」であり「そういう文学方面はあまり研究していない」として回答を拒否した。戦争責任とは政治責任であり、文学とはなんの関係もない。しかし、そのことへの言及を回避するために、昭和天皇は「文学」を持ち出した。そしてこの拒絶は、そのまま受け入れられてしまったのである。

高橋源一郎自身、「政治と文学」という大きな問題（とくに高橋周辺の人間が深くかかわった連合赤軍事件）に直面することから文学活動を始めたはずだ。二〇一五年前後の安保法制反対運動では積極的に「政治的」発言をしてきたし、現在も『ヒロヒト』という連載をまさに「新潮」誌上で続けている（緊急寄稿が掲載された二〇一八年一一月号では休載）。しかし小説家・高橋源一郎（A）と、社会的・政治的発言を行う大学教員としての高橋源一郎（B）との間には、彼が小川榮太郎に認めた「二重思考」は本当に働いていないのか。むしろその自省のなさこそが最大の問題だと私は考える。

いま「政治と文学」の問題に果敢に挑んでいる小説家を一人挙げるとすれば、赤坂真理である。赤坂は「文藝」二〇一八年冬季号に掲載された短編「箱の中の天皇」で、高橋源一郎よりもはるかに直截的に天皇の「言葉」に向き合い、その政治性を「言葉のアヤ」としてではなく小説に織り込もうとしている。

「箱の中の天皇」は、二〇一二年に刊行された『東京プリズン』の後日談ともいうべき物語で、いずれも主人公はアカサカ・マリという作者自身の分身的存在だ。『東京プリズン』は、中学卒業後の一九八〇年にアメリカ合衆国メイン州に「留学」することになったマリが、そこで経験する「天皇の戦争責任」をめぐる模擬裁判（ディベート）を主題とした小説であり、アメリカの政治原理である「人民主権」（ピープル、という言葉がその鍵となる）との対比から、日本の戦後民主主義における最大の矛盾である天皇の存在を問うものだった。

「箱の中の天皇」では、その主題がさらに深められている。石牟礼道子とおぼしき「道子さん」を病室に見舞う「わたし（マリ）」は、「今上天皇」がテレビを通じて自身の「お気持ち」を語った映像を彼女が繰り返し見ていることを知る。マリの母親は戦後すぐにGHQにかかわる仕事（東京裁判の資料の翻訳）をしており、そのエピソードから日本国憲法制定過程におけるGHQの強い関与が改めて確認される。

「わたし」が繰り返し問うのは、日本国憲法における天皇の位置づけ、つまり「象徴」というあり方についてである。天皇が日本国民の統合の象徴、すなわちシンボルであるとはいかなることか。その一点を問い続ける「箱の中の天皇」は、一九八〇年に行われたアメリカでの「模擬裁判」のやり直しであり、そのアップデート版だといってもいい。

赤坂真理は日本の戦後政体に男性原理が欠如していることを小説以外の著作でも指摘しており、「政治」に無関心な書き手ではない。赤坂もまた「A」と「B」の顔をもつといえるが、その両者は決して「強大な権力に隷従するとき必要な、自らの内面を誤魔化すための高度なシステム」によって分裂してはいない。むしろ政治的思考を深めることが作品を強め、小説に力を与えている。

「箱の中の天皇」は『東京プリズン』と同様に不思議な小説であり、語り手であり主人公でもある「わたし」は時を超え、ダグラス・マッカーサー元帥とも対峙するし、「今上天皇」とも対話する。「わたし」の一家はバブル経済の発生（一九八五年のプラザ合意に基づく急激な円高の進行）により崩壊しており、当時は「ジャパン・アズ・ナンバーワン」とも言われた経済国家としての成功によって敗れた者たちの記憶が完全に忘れ去られていることに「わたし」は憤っている。この視点はきわめて重要だと私は思う。

高橋源一郎はつい最近、『今夜はひとりぼっちかい？　日本文学盛衰史　戦後文学篇』という本を上梓した。名著といってよい『日本文学盛衰史』（以下、正篇と呼ぶ）の続篇として大いに期待して読んだが、途中で違和感を覚え始めた。どうにもこうにも記述が古いのである。登場する「戦後文学」の作家たちの名が古いのではなく、描かれている「現在」のほうに古めかしさがある。途中で明らかになるのだが、これは二〇〇九年から連載が開始され、しかも二〇一一年の東日本大震災によって趣旨が大きく変わってしまった「小説」の残骸なのだ。

この本の語り手「タカハシさん」は、自分が教えている（明治学院大学の）学生たちが「戦後文学」について何一つ知らないことに驚く。「文学なんてもうありませんよ」と誰かに宣言される夢を見たりもする。しかし「タカハシさん」が「文学」として名指そうとしているものは、福田恆存や小林秀雄に心酔する「文藝評論家」小川榮太郎（A）と大きな違いはない。現代にも読まれつつある「小説」から目を背け、過去の偉大なる「文学」の幻影を探し求めている点において、両者の「文学」観にはほとんどズレがないのである。

赤坂真理が『東京プリズン』を書いていたのは、高橋源一郎が『今夜はひとりぼっちかい？　日本文学盛衰史　戦後文学篇』の連載をのんびりと進めていたまさにそのときだ。同時代の「小説」が臆することなく「政治」の言葉に切り込み、作家自身の痛切な個人史の交差点で見事な文学的達成を遂げていたときに、「タカハシさん」がやっていたのは物欲しげに「ラップ」や「ヒップホップ」や「ツイッター」といったそのときどきの流行りの言葉の意匠のなかに、失われた「文学」の残影を探すことだった。

東浩紀は「文藝」二〇一八年冬季号に掲載された『今夜はひとりぼっちかい？　日本文学盛衰史　戦後文学篇』への書評のなかでこう書いている。

本作は奇妙な小説である。いちおう小説という体裁になってはいる。けれども、作者の似姿である「ぼく」「タカハシさん」が頻繁に登場し、震災やツイッターなど時事も扱われる。その点では小説というより評論に近い。（略）ぼくにはこの作品が、小説が拡張した結果として評論に近づいたテクストではなく、評論が拡張した結果として小説に近づいたテクストのように思われたからである。

そして東は以下、この続篇をあくまでも「批評」として読み解こうとする。こういう言い方ができるかもしれない。「高橋源一郎（小説家）」と「高橋源一郎（批評家）」がいる。そして「文学の衰退」という、「強大な権力」によるものではないが、もはや誰の目にも明らかな不可逆の事態がある。そのときこの両者の間で果たして「二重思考」は起きないだろうか？　実作において「政治」と「文学」の乖離を力技で抑え込んだ小説家・赤坂真理に対して、批評家・高橋源一郎はあまりにも小川榮太郎のほうに似てはいないか？

そう考えるとこの続篇のタイトルは、あまりに反語的である。文学を愛する者たちはむしろ「ひとりぼっち」でもなんでもない。真の孤独を抱えているのは、いまなお「小説」を書き続けている者たちのほうである。

記❖二〇一八年一〇月

「想像力」よりも「小説的思考力」を

「新潮」二〇一八年一二月号・特集「差別と想像力」

新潮社の激震が止まらない、というべきだろうか。「新潮45」休刊事件に端を発した騒動は、その舞台を文芸誌「新潮」が引き受けるかたちで延長戦が続いている。

前回に書いたので詳細な経緯は繰り返さないが、「新潮」二〇一八年一一月号の編集後記で編集長の矢野優は、「新潮45」掲載記事の「差別的表現に傷つかれた方々に、お詫びを申し上げます」と述べ、その責任が同誌自身にも及ぶとした。

この号には前回触れた高橋源一郎による緊急寄稿文も掲載されたが、批判対象をあらかじめ見下した、陰湿で不愉快なしろものだった。だから次の「新潮」一二月号で改めて「差別と想像力——「新潮45」問題から考える」という特集が組まれたことを知ったとき、これでようやく一定の水準の論考が読めるものと期待した。

この特集の冒頭には、前号の「編集後記」で「文学者が自身の表現空間である「新潮」や新潮社を批判すること。それは、自らにも批判の矢を向けることとです。小誌はそんな寄稿者たちのかたわらで、自らを批判します。そして、差別的表現に傷つかれた方々に、お詫びを申し上げます」と述べたことを受け、次の宣言文が掲げられている。

七人の寄稿者による真摯な発言が、七色の虹のような言論の多様性を生むことを願う。

同誌がそのように願った（私も同様に願った）期待は、しかし、叶えられなかった。

この特集でレインボーカラーを織りなすことを期待された七名の寄稿者は以下のとおり。星野智幸、桐野夏生、柴崎友香、中村文則、村田沙耶香（以上は小説家）、千葉雅也（哲学者）、岸政彦（社会学者）。ただし岸は、この号に「図書室」という中編小説も掲載されており、「小説家」としても売出し中である。

特集の冒頭を飾るのは、この連載でも何度か言及してきた「新しい政治小説」の提唱者、星野智幸の「危機を好機に変えるために」という文章である。「新潮45」問題は星野の『焔』が谷崎潤一郎賞を受賞した時期とちょうど重なり、受賞式での星野の発言が注目されていた。その講演に「大幅な加筆と修正」を加えたものだ。

星野の言うことは明快である。「文学とは猛毒を薬に変えて差し出す表現」であり、小説家は言葉の「専門家」である。薬物の専門家が猛毒を薬とする際に調合を間違えないのと同様、小説家は「毒の力を保ちながら薬として使う」際の調合を誤ってはならない。

ヘイトや差別的表現は、まぎれもなく言葉の「毒」である。いまやそうした言葉の毒がメディアで垂れ流しになっている。そのなかで自分たち書き手も知らず知らず、差別する側の「当事者」になっているかもしれない。そこで星野は、こう言う。

私が今の文学業界に不足していると思うのは、被害者の側の声、マイナーな立場の声を聞く、という姿勢です。

事実、星野は二〇一〇年には写真家の高松英昭とともに、ホームレスのみが応募できる「路上文学賞」という文学賞を立ち上げている。「（当事者の）マイナーな立場の声を聞く」ことが文学者の役割である、ということにもさして異論はない。
だが、この文章は次のように締めくくられる。ここにはちょっとした飛躍があるように思える。

決して正解はない、ヘイト的言説と表現の自由について、業界全体でもって、学び考え続けていこうではありませんか。専門家でもない人たちに、表現の自由と差別の線引きを恣意的に決められてよいのでしょうか。自分たちの場を自分たちで作っていく自治の感覚が求められます。

ひっかかるのは「専門家でもない人たち」という部分である。文学賞の受賞パーティにおける講演であることを割り引き、かつ「専門家でもない人たち」とは非文芸部門の編集者や経営者、国家権力やその他の外的圧力を指すのだとしても、では「専門家」とそれ以外との線引きを行う主体は誰なのか、という疑問がなおも残る。

後段の「自治の感覚」の主体がそうなのであろうが、線引きの信頼性を担保するのが「文学業界」や「文壇」のギルド的な相互承認システムだとすれば、「路上文学賞」とはいったいなんなのか。そうした、すっきり割り切れない部分が残るのだ。

それでも星野智幸は、言うべきことを言っている。だが他の小説家たちによる寄稿は、期待していた水準をはるかに下まわるものだった。

桐野夏生は「すべてが嫌だ」という題名どおり、起きている出来事全体への不快感を述べ、「新潮45」編集長であった若杉良作と新潮社社長の佐藤隆信を批判し、「おぞましい」と結論づける。気風のよさは感じるが、文学の責務に対する省察はいっさいなされない。

中村文則は「僕は新潮社から作家デビューし、新潮社で鍛えられた。仕事相手という意味を超え、それ以上に、僕にとって、本当に特別な出版社だ。まことに勝手ながら、僕は新潮社に当事者意識がある」と臆面もなく書いている。「当事者」という言葉に根本的な勘違いがあるうえ、インターネットと同様、文芸誌も公共の言論の場であるという意識がまったく感じられない。

村田沙耶香に至っては、自らが体験した差別的な言動についてのナイーブで幼稚な「反省」を語るのみで、読むべきところはなにもない。

岸政彦は、この特集では文学者ではなく、反緊縮派の政策を提言する社会学者として発言している。だが中村同様、公共の誌面という意識もないまま、新潮社は「文芸とか文学と呼ばれる業界のなかでもっとも権威ある出版社」などと書いている。また「新潮45」が「廃刊になっただけでもかなりほっとした」というくだりも目を疑った。

柴崎友香はきわめて迂回したロジックながらも、真摯な思考を展開している。だが最後に、ドイツのジャーナリスト、カロリン・エムケの言葉を引用し、結論を丸投げしてしまった感がある。この連載でも以前に詳しく論じた、『憎しみに抗って――不純なものへの賛歌』の以下の部分である。

憎しみに立ち向かうただひとつの方法は、憎む者たちに欠けている姿勢をとることだ。つまり、正確に観察すること、差異を明確にし、自分を疑うのを決してやめないこと。

だがエムケが考察の対象としている問題は、中東地域からの大量移民が現実にドイツ国内で引き起こしている犯罪事件と、それに対する国民の怒り、そして移民排斥を主張する極右政党の伸長という現実のなかで起きている。それでもなお憎しみの連鎖を断ち切るにはどうしたらよいかを、性的マイノリティでもあり、被抑圧者としての体験をもつ立場から徹底的に考察したエムケの言葉を、上澄みだけすくいとるのはいささか不誠実だろう。

またこの言葉は、むしろ今回の騒動において自制心を欠き、「正確な観察」も「自分を疑う」

こともしないまま批判対象を悪魔化した、一部の「リベラル」な文学者に対しても向けられるべきではないか。

星野もエムケの本から、憎しみとは個人的なものではなく、「集合的なものであり、イデオロギーという器に入っているもの」だというくだりを引いている。「新潮45」を発火点とする騒動は、明らかにイデオロギーによって駆動されていた。だから文学者がすべきことは文学的想像力に対する自省などではなく、そのような憎しみの増殖には与しないこと、文学の領域に憎しみの火を持ち込ませない、その一点でよかったはずである。


こうした特集の惨状を救ったのが、寄稿者のなかで唯一、LGBTの「当事者」であることをカムアウトしている哲学者・千葉雅也の「平成最後のクィア・セオリー」だった。この「論考」は、この問題が起きる以前の二〇一八年七月二二日から九月二四日までの一七〇回を超えるツイッターの「ツイート」に追記を添えたものだが、きわめて有益な「論考」になっている。たとえば想像力について、千葉はこう書く。


グレーバーは、官僚制の暴力性に、想像力を対置する。左翼とは、想像力をもつことだ、と。

僕は以前書いた「アンチ・エビデンス」で、やはり想像力に基づく信頼の重要性を言った。

(官僚的な)エビデンス主義は、想像力によって信頼し合う人間関係を破壊するのだ。

このツイートは、八月二四日の段階になされたものだ。杉田水脈による「論文」（花田紀凱によれば談話を編集者が起こしたもの）が「新潮45」二〇一八年八月号に掲載され批判が高まってはいたが、この杉田「論文」を擁護する一〇月号は、まだ刊行されていない。

デヴィッド・グレーバーの『官僚制のユートピア――テクノロジー、構造的愚かさ、リベラリズムの鉄則』での議論が援用されていることからも明らかなとおり、杉田「論文」をめぐる議論は文学ではなく、政治的なものである、という前提で千葉は思考し発言している。政治の問題に「生きづらさ」という補助線を導入し、「内面化＝文学化」させようと試みたのは杉田水脈のほうだ。

千葉にはこの議論の真の土俵が文学ではないことは明らかだったから、「文藝評論家」と名乗るトリックスターが登場した後も、問題の在り処を一度も見失わなかった。いま問題とすべきなのは「文学的想像力」（他人の「生きづらさ」に対する！）などではない。「想像力」は社会的、あるいは政治的連帯のために必要なのだ。

千葉がもっとも深いところで問題の在り処を見定めることができたのは、彼自身が性的マイノリティとしての「当事者」であったからだけではない。文学関係者がうっかり踏み込んでしまった「内面化」の罠から自由だったからだ。

それでは「文学」の側は、この問題から何を学びとるべきだったろうか。かつて星野智幸は『俺俺』という作品をめぐって、大江健三郎からこのような言葉をかけられていた。

本来、文学史には小説的思考力と小説的想像力のせめぎあいがあって、今、小説的思考力は少し衰弱している時代じゃないかと私は思う。安部公房はもういなくなったと思っていた。ところが、星野さんという若い小説家が、新しい小説的思考力を持ってあらわれてきたのです。

（『大江健三郎賞8年の軌跡　「文学の言葉」を恢復させる』）

ここで大江が正しく「小説的思考力」と名指しているものこそ、星野がいう「新しい政治小説」の核ではないか。いま文学に必要とされているのは、想像力の土台となるべき思考力であり、それを正確に展開するための知性のはずである。

記❖二〇一八年一一月

ポスト冷戦時代に育った世代の想像力

ミロスラフ・ペンコフ『西欧の東』

大江健三郎が星野智幸との対話のなかで言及した「小説的思考力」について、引き続き考えている。小説表現に想像力が欠かせないのは当然としても、その土台には思考力という知性の働きがあるべきだ、ということを前回の最後に書いた。

残念なことに、知性と思考力に裏打ちされた真の想像力を、現在の日本文学（とくに純文学）の領域で探すことはきわめて困難になってしまった。知性の土台となるのは冷静な現実認識のはずで、煎じ詰めればそれは自らが身を置く世界に対する認識ということになる。しかし冷戦終了後、日本の知識層（当然ここには文学者が含まれる）の多くが冷戦期の思想的枠組みのうちに閉じこもり、急激に変貌していく世界の姿を正確に描き損ねてきた。グローバリゼーションの荒波をいち早く被ったのは知識層ではなく一般の生活者であり、語られる言葉と現実との乖離が、言葉への信頼をますます失わせた。そのような言葉からは、魅力ある小説が書かれることも少なくなったのは当然だろう。

話がいささか大きくなりすぎた。

こんなことを思ったのも、二〇一一年にアメリカで出版された、ブルガリア出身の作家ミロスラフ・ペンコフの短編集『西欧の東』(訳者は藤井光)を知人に強く薦められて読んだからだ。評判に違わず素晴らしい本で、小説における想像力とはいかなるものかということを考えるとき、この作品はひとつの試金石になるように思った。

『西欧の東』の単行本に書かれた紹介文によると、ペンコフは一九八二年にブルガリアのガブロヴォという町で生まれ、幼少期から一八歳までは首都ソフィアで過ごした。二〇〇一年にアメリカのアーカンソー大学に留学して心理学を修め、大学院では創作科に進んだ。そうしたなかで、二〇〇六年に発表した「レーニン買います」という短編がアメリカ南部の伝統ある文芸誌『サザン・レビュー』の与えるユードラ・ウェルティ賞を受賞し、さらにサルマン・ラシュディが編者となった『ベスト・アメリカン・ショート・ストーリーズ２００８』にも選ばれたことから、ペンコフは新進小説家として注目されるようになったという。

ラシュディといえば、一九九一年七月に『悪魔の詩』の翻訳者であった五十嵐一が殺害され、犯人も不明のままとなった事件があった。このとき文学者は、とくに大きな反応をしなかったように思う。この頃、むしろ日本の文学者は、「湾岸戦争に反対する文学者声明」に夢中だった。反戦平和はよいが、イランのイスラム革命以後に中東で起きた政治的変動への考察は浅く、また勃興しつつあるイスラム原理主義に対しても宥和的であった。こうした態度は二一世紀に入りフランス等で頻発する原理主義者のテロ事件に対しても受け継がれるが、長期的にみて果たして正しい判断であったかが検証されるべきだろう。

ところで、グローバリゼーションが文学にもたらした成果の一つは、英語で書く他民族出身作家の増大である。ラシュディ自身がそうだが、ロンドン出身のインド（ベンガル）系アメリカ人のジュンパ・ラヒリの成功も記憶に新しい。こうした先達と同様、この本に収められたペンコフの短編は、いずれも英語で書かれている。大学の創作科で鍛えられた無駄のない文体に、故国の歴史や神話、歌や音楽を巧みに織り交ぜ、文字どおりにグローバリゼーション下における東西文明の出会いが孕む、繊細な問題を丁寧に描き出している。こうした見事な作品を読むと、日本ではなぜこのような小説がひとつも書かれずにいたのかと不思議に思う。

この短編集に収められた八作のうち、アメリカが舞台となるのは二作（「レーニン買います」と「デヴシルメ」）で、表題作を含む残る六作では故国ブルガリアが舞台となる。そしてこれらの作品ではいずれも、他民族や隣国、異文化をもつ者との、ギリギリのかたちでの共生が描かれる。

第一話「マケドニア」の語り手は、作中の現在（一九六九年）において七一歳という老境に達している男だ。その記憶は二次にわたるバルカン戦争へ、さらには、それ以前の大ブルガリア公国独立の時点まで遡る。男は妻の心をとらえたまま六〇年前に戦争で死んだ人物にいまなお嫉妬している。そんな男にとって、共産主義体制下の二五年は長いとは決していえない。終わってしまった一つの時代は、さらにその前の時代によって相対化されうる。しかしそこまで想像力を伸ばしていくには、歴史に対する正確な理解、つまりそのなかで生きざるを得なかった人間に対する理解がなくてはならない。

表題作である第二話「西欧の東」では、ブルガリアとセルビアの国境をなす川の東西に引き裂かれた一つの集落に住む恋人たちを見舞った悲劇が描かれる。語り手となるのはこの悲劇で姉を失ったブルガリア側に住む弟だ。弟は、ある出来事で鼻がつぶれてしまったために「ハナ」という愛称で呼ばれる。ハナはいとこのヴェラに強く惹かれていたが、彼女は一九九〇年に結婚していまはベオグラードに住んでいる。この話はハナがヴェラと再会するため、国境の川を渡りベオグラードを訪ねるまでの物語だ。

この小説のなかで「西欧」と呼ばれるのはセルビアのことだ。一九九〇年といえばユーゴスラビアでも冷戦終結により民族主義が高まった時期にあたり、セルビアではミロシェヴィッチが権力を握った。その結果、翌年にはクロアチアとスロヴェニアが独立を宣言し、ユーゴスラビア内戦が始まる。独立して「西側」へと組み込まれた両国に対して、その独立を阻もうとするセルビアは、「西欧」というよりは旧東欧の生き残りのような国とみなされた。もちろんペンコフはそうした歴史を踏まえつつ、ブルガリアから見れば、そんなセルビアでさえ「西欧」だったと書いているのだ。

二〇〇四年にはＮＡＴＯ加盟、さらに二〇〇七年にはＥＵに加盟したにもかかわらず、旧ソ連および東欧圏崩壊後のブルガリア政治史について、ウィキペディア日本語版は「１９８９年に共産党政権が崩壊し、２００１年には元国王のシメオン・サクスコブルクゴツキが首相に就任した」と記述するのみである。私自身、ブルガリアがいま、いかなる政治的状況下にあるかなど耳にしたこともない。いずれにせよ、ペンコフはそのようなブルガリアを離れ、アメリカを生活の地と定めたのだった。

冷戦終結後の日本では、旧ソ連や東欧諸国のような急激な政治変動は起きなかった。しかし、日本社会党は政権参加後に崩壊し、日本共産党にもかつてのような威信はない。日本の近代史に共産主義（あるいは社会主義）が与えてきた影響、とりわけ文学におけるその大きさを考えるならば、「西欧の最西端」ともいうべき日本の現代文学が、この問題を抜きに平成の三〇年間をすり抜けたのは奇異といっていい。

日本にはチトーのユーゴスラビアを礼賛する論者も多かったが、その解体をもたらした内戦でさえ、日本の現代小説でこれを主題にした作品といえば、ミステリー作家の米澤穂信が書いた『さよなら妖精』ぐらいしか思い浮かばない。冷戦終結後の国際情勢は、日本の純文学にはほぼ波風ひとつ立てなかったのである。

東アジアでもこの時期には韓国と台湾では軍政が終わり（一九八七年）、中国では天安門事件（一九八九年）や香港返還（一九九七年）という出来事もあった。だがその間も、適度な国内出版市場が存在し、読者の大半が日本語以外を解しないという条件のもとで、日本の現代文学はドメスティックな出来事のみにかかずらわり、世界に目を向けずにやってきた。二〇一一年に東日本大震災が起きた後の「震災後文学」をめぐる言葉の喧《かまびす》しさと比べたとき、冷戦後の社会に対する眼差しの不在は、やはり異様だというしかないだろう。

冷戦構造と、その象徴としての核兵器にもっとも強いオブセッションを表明し続けてきた大江健三郎自身が、ノーベル賞受賞後はかつて否定していた「私小説」の形式に逃げ込んだことも（それなりに面白い小説が書かれたとはいえ）、「冷戦終結後の文学」という主題を曖昧にしたように思う。


ところで、ペンコフの祖国ブルガリアは旧共産圏諸国のなかでは比較的日本人に馴染みがある国の一つだろう。私もヨーグルトとブルガリアン・ヴォイス、関取の琴欧洲くらいは思い浮かぶ。ブルガリア出身のノーベル賞作家には『マラケシュの声――ある旅のあとの断想』や『眩暈』のエリアス・カネッティがいる。だがいまの日本にその読者が多くいるとは思えない。

なにしろ人口七〇〇万人に対して経済規模は青森県程度といわれる小国である。本書のあとがきで訳者の藤井光は「ブルガリア人の八人に一人は国外で生活しているともいわれる」と書いているが、それが事実とすれば人口七〇〇万の本国に対し、国外に一〇〇万人のブルガリア人がいるという計算になる。いずれにせよ「日本人」に比べれば圧倒的に少数民族だが、国際化の度合はそれだけに、はるかに先進的ともいえるだろう。

この短編集には日本人のユキという女性が登場する「ユキとの写真」という作品も収められている。恋人のユキを連れて故国ブルガリアに帰国した語り手「ぼく」は、結婚するつもりの彼女を家族に紹介するものの、好意的には迎えられない。結婚後、ユキが不妊とわかるとさらにその態度は強まる。語り手の祖母の友人であった女性はユキを見て、「あんまり黄色くないんだね」と口にするが、もちろん「ぼく」はそれをユキには伝えない。

ところでユキは、ジプシー（ロマ）に強い興味を抱いている（この小説における真の「主人公」は、息子を失ったロマの家族だ）。この小説にはアメリカで移民として暮らすブルガリアと日本人の若者、ブルガリアから離れることのできない老いた世代、さらにこの国のマイノリティであるロマの家族という、多層なエスニシティが織り込まれている。

グローバリゼーションのもとでは国籍と言語と文化の関係がこれまで以上に重層的になるわけだが、日本の現代文学はそれをわがこととして主題にすることもできずにきた。まもなく平成という時代は終わるが、日本の現代小説はいまだに冷戦下の思考のもとにある。ペンコフの短編集に描かれたユキの姿こそ、この国に向けられた世界からの眼差しであることを、私たちは知るべきである。

記❖二〇一八年一二月

韓国にとっての「戦後」

ハン・ガン『すべての、白いものたちの』

アジア人作家として初めてブッカー国際賞を受賞した『菜食主義者』という小説の作者として知られているハン・ガン（韓江）が、光州事件を題材にした小説も書いていたことを知ったのは、彼女の最新作『すべての、白いものたちの』の巻末に添えられた「作家の言葉」によってだった。

一九七〇年生まれのハン・ガンは父親もハン・スンウォン（韓勝源）という小説家で、この一家は彼女が九歳のときまで韓国南部、全羅南道の道庁がある光州に暮らしていた。やがて一家はソウルに転居するが、その直後に光州事件が起こる。

ハン・ガンの小説にはつねに、心に深い傷を負った人物が登場し、肉体と魂の相克の問題が主題とされる。肉食を絶ち植物として死ぬことを望むヨンへという女性を主人公とする連作中編集『菜食主義者』でも、視覚を失いつつある語学教師の男と失語症の女との恋愛を描いた『ギリシャ語の時間』でも繰り返されるそうしたモチーフの根本には、幼少時の彼女が過ごした地で起きた痛ましい事件があったことを私はようやく理解した。

一九七九年一〇月、当時の大統領だった朴正煕が暗殺され、韓国では一時的に民主化の機運が高まるが、同一二月に戒厳司令官の鄭昇和陸軍参謀総長が保安司令官の全斗煥陸軍少将によって逮捕された粛軍クーデターにより、韓国政治は再び混乱に陥る。全土で戒厳令に反対する学生デモが起こり労働争議も頻発するなかで、軍の全権を掌握した全斗煥は翌一九八〇年五月に「5・17非常戒厳令拡大措置」を宣言し、公民権が回復されたばかりだった全羅南道出身の野党政治家・金大中ほかを逮捕し（のちに死刑判決）、新民党総裁の金泳三も自宅軟禁された。

こうしたなかで一九八〇年五月一八日から二七日にかけて起きた大規模な民主化要求デモに端を発する一連の出来事が光州事件である。大学封鎖に反対する学生デモは一般市民を巻き込み、デモ隊は郷土予備軍の武器倉庫を襲って「市民軍」として武装した。この市民軍は韓国政府軍と交戦して全羅南道の道庁舎を一時的に占拠したが、自主的に武装解除を行うことを決めた後、残存部隊が戒厳軍によって鎮圧された。この一連の事件による死者・行方不明者はのべ六〇〇人以上、数千人が負傷したとされる。

光州事件を題材にしたハン・ガンの長編小説『少年が来る』は二〇一四年に韓国で出版され、日本では二〇一六年にクオンから邦訳が出版された。最後まで道庁舎に残った人々のなかにいた一六歳の少年トンホと、ソウルから来た大学生チンス、そして女子学生のソンヒ、ソンジュ、ウンスク。光州事件当時と現在とを行き来しつつ、彼ら一人ひとりがたどった運命を多視点の物語として編み上げた『少年が来る』には、他の作品でハン・ガンを知った読者が驚くであろうほどの力強いメッセージが込められていた。

ハン・ガンという作家が日本でも注目されるようになったのは、二〇一一年に日本でも翻訳出版された『菜食主義者』が、冒頭で述べたとおり二〇一六年にブッカー国際賞を受賞したのがきっかけだ。だが、二〇〇二年から二〇〇五年にかけて相次いで発表されたこの本の収録作品は、二四歳でデビューしたハン・ガンにとっては比較的初期のものであり、その後も彼女の作品世界はさらに深められていった。

そのことは『ギリシャ語の時間』（二〇一一年、邦訳は二〇一七年）、『少年が来る』（二〇一四年、邦訳は二〇一六年）、そして『すべての、白いものたちの』（二〇一六年、邦訳は二〇一八年）といった作品を、発表された順に読むとよくわかる。

現時点での最新作である『すべての、白いものたちの』には、かつてないほど作者の個人的な来歴をうかがわせる言葉が綴られており、現時点から過去のハン・ガンの作品を見晴らすことができる眺望台になっているように私には思える。

この作品はいくつもの「白いもの」についての断章からなっている。作品冒頭で語り手の「私」は、「白いもの」たちの目録をつくろうと試みるのだが、それはまだ語られていない「私」の傷を覆うガーゼのようなものとして意識されている。つまりこの本を書くという行為そのものが、この作家にとってはなにものかからの療養のプロセスなのだ。

「私」は故国を出て、娘と二人でヨーロッパのある都市に移住する。一九四四年八月、ナチスドイツに抵抗して唯一、軍と市民が立ち上がったワルシャワ蜂起は二ヶ月後に壊滅し、この都市は徹底した報復を受ける。翌年の春に米軍が空撮したこの都市の映像は「まるで雪景色の中のよう」に「私」には見えたが、それはすべて破壊された石造りの町のがれきの跡だった。戦後に再建されたワルシャワには、七〇年以上古い建物は存在しない。そして建物の多くには「下と上、古いところと新しいところを区分する境界が、破壊を証言する線がありありと見えている」。「私」は、「この都市と同じ運命を持った人」「一度死んで、破壊されたが、くすぶるがれきの上で、粘り強く自分を復元してきた人」について書こうと思う。『すべての、白いものたちの』は、そのようにして書かれたテキストであり、作中ではその「人」は生後二時間で死んだ彼女の姉ということになっている。この「一度死んで、破壊された人」とは、次の章で「彼女」として生を持続させるその人のことであると同時に、亡くなった多くの家族や知人であり、また一九八〇年の光州で死んだり傷ついたりした者たち、さらには普遍的な意味での恢復途上にある人たちのことでもあるだろう。

光州事件の後に大統領に就任した全斗煥は憲法を改正し（第五共和国）、野党指導者への徹底した弾圧を行ったが、一九八七年に再び民主化をもとめるデモが激化すると次期大統領選挙の候補者だった盧泰愚が民主化宣言を行い、全斗煥もこれを受け入れた（第六共和国）。一九八八年の大統領選挙では軍出身の盧泰愚が当選したものの、ソウル・オリンピックを機に韓国の政治は軍政から民政への移行が始まり、一九九二年には金泳三が大統領に就任。その後も保守・革新を問わず文民大統領が続くようになる。

　こうした民主化運動の立役者となったのは当時「３８６世代」と呼ばれた、「一九六〇年代に生まれ、一九八〇年代には大学生で、一九九〇年代を三〇代として過ごした世代」である。日本でいう「全共闘世代」とはひと回りほど違うが、この世代は広義のベビーブーマーの最後（日本でいえば「新人類世代」）に相当し、金泳三、金大中両政権に続き、二一世紀の韓国でも盧武鉉、文在寅といった市民派大統領を当選させる原動力となっている。

　一九七〇年生まれのハン・ガンはこの「３８６世代」よりは下の世代にあたるが、光州事件のときに一〇歳、盧武鉉の民主化宣言のときには一七歳であり、作家を父親にもつ早熟な知性にとって、この時代の風は十分に大きな意味をもっただろう（日本でいえば、高校生全共闘や高校生べ平連世代といったところか）。したがって二〇代のはじめから作家として活躍しはじめた彼女が抱え込んでいた傷は、単なる個人史に根ざしたものというよりは、彼女より二一歳年長の村上春樹がデビュー作以後、抱え続けた世代的な傷と、そう遠くないものであるはずだ。

『すべての、白いものたちの』のあとがきに相当する「作家の言葉」でハン・ガンは、韓国語には「白」を意味する二つの言葉があると述べている。ひたすら清潔な白を意味する「ハヤン《まっしろな》」のほかに、「生と死の寂しさをこもごもたたえた色」として「ヒン《しろい》」があるという。そしてこの作品は後者としての「白」、つまり、ひとたび壊滅させられた都市のがれきを土台に再建された真新しい都市のような、いっけん晴れ晴れとしたなかにも複雑な過去を織り込んだ存在、つまりは人間の普遍的な存在のあり方を示す色について書かれた話なのだという。

日本ではまもなく終わる「平成」という元号で画される時代は、韓国という国では軍政から民政への移行、ソウル・オリンピックの華やかな成功とその反動ともいわれる一九九七年の通貨危機とＩＭＦによる救済、急速に進むグローバリゼーションの影響とサムスンなど一部巨大企業に偏った産業構造の変化、そして北朝鮮に対する太陽政策と北風政策の間の何度もの揺り戻しを経て、昨今の複雑な東アジア情勢に至る、ジェットコースターのような三〇年だった。ハン・ガンが描くのはこの時代を生きた多くの韓国人がひと知れず抱えているはずの傷であり、それは国境や言語を超えて共有しうるものだ。

韓国にとっての「戦後」とは第二次世界大戦の終結（光復節）だけでなく、朝鮮戦争、ベトナム戦争、長期化する軍政といった、それぞれの「終わり」が複雑に畳み込まれたものだ。『菜食主義者』や『少年が来る』には、ベトナム戦争帰りの韓国軍兵士のエピソードが描かれており、後者の登場人物の一人はこう語る。

ベトナム戦争に派遣されていた韓国軍のある小隊に関する話も聞きました。彼らは田舎の村民会館に女性や子ども、老人たちを集めておいて全員焼き殺したというのですよ。そんなことを戦時中にやっておいて褒賞を受けた人たちがいて、彼らの一部がその記憶を身に付けて私たちを殺しにきたのです。済州島《チェジュド》で、関東と南京で、ボスニアで、全ての新大陸でそうしたよう

に、遺伝子に刻み込まれたみたいに同一の残忍性で。（註：訳註は省略）

だからハン・ガンの最新作が描こうとする「生と死の寂しさをこもごもたたえた色」としての白さ、韓国語でいうところの「ヒン」は、ワルシャワに再建された都市のように二種類の素材からのみできているのではない。あらゆる人々が抱え込んでいる不純物も含めた、まさに「すべて」の「白さ」がまじりあったものとしてこの作品は綴られている。

記❖二〇一八年一二月

批評家が実作に手を染める時代とは

陣野俊史『泥海』

平成という時代は、多くの文芸批評家が意欲的に小説の実作を行った時代として後世に記憶されるかもしれない。東浩紀『クォンタム・ファミリーズ』（二〇〇九年）、小谷野敦『母子寮前』（二〇一〇年）、蓮實重彥『伯爵夫人』（二〇一六年）といった例を挙げればわかるとおり、批評家としても錚々たる顔ぶれが並ぶのみならず、そのいくつかは芥川賞や三島賞の候補作や受賞作ともなった。近頃では四方田犬彦も『すべての鳥を放つ』（二〇一九年。初出時の『鳥を放つ』を改題）という初めての小説作品を発表したばかりである。

ところで、批評家が実作に手を染める時代とは、批評家が専門作家の作品に大きな不満をもつ時代である、と言ってみたい気持ちになる。映画史におけるヌーヴェルヴァーグ、ポピュラー音楽史におけるパンクといった過去の例を見るならば、眼前のシーンが危機的であるときにこそ、批評家は実作に挑まねばという思いにとらわれるのではないか。フランス文学者としても知られる批評家の陣野俊史による、シャルリ・エブド事件の実行犯たちを実名で登場させた『泥海』という小説を読み、そんなことを考えたくなった。

二〇一五年一月七日、パリ中心部の一一区で週刊の風刺新聞『シャルリ・エブド』の事務所が編集会議中に襲われ、編集長をはじめ風刺画家、コラムニストら一二人が殺害された。犯行はイスラム原理主義者の二人組によるもので、同紙がイスラム教の教祖ムハンマドを侮辱する絵を掲載したことに対する報復だった。犯人はそのまま逃亡し、二日後にパリ郊外ダマルタン＝アン＝ゴエルの印刷会社に現れてここに籠城した。

この籠城事件と軌を一にしてパリ二〇区にあるユダヤ食品専門のスーパーマーケット「イペル・カシェル」が襲われ、犯人は店内にいた店員と客の計四人を殺害し籠城した。またこの事件に先立つ八日にパリ郊外のモンルージュでは女性警察官が殺害されたが、これもスーパー襲撃と同一犯によることがのちに判明した。印刷会社に籠城したのはアルジェリア出身の二世でサイードとシェリフのクアシ兄弟。スーパーマーケットに籠城したのはマリ系の二世、アメディ・クリバリ。三人はいずれも現場で射殺された。

この衝撃的な事件の後、被害者たちとの連帯を表明する「私はシャルリ」という言葉がたちまちに広まり、その追悼とともにフランスの国是である世俗主義（ライシテ）の原則を再確認する「共和国の行進」が行われた。これにはEU各国のほか、トルコ、ロシア、イスラエル、パレスチナ自治政府までが代表者を参加させ、テロリズムに屈しない姿勢を国際的にアピールした。

その一方で、この事件を起こした者たちは極めて薄い印象のまま葬り去られた。だから陣野俊史が自身にとって初めての小説作品に彼らを実名のまま登場させたことには、強い決意が込められているに違いない。それにしても陣野はなぜ、この事件について書かなければならなかったのか。

『泥海』の第一章では多様な声が響きあっている。クアシ兄弟の妹アイシャ、それぞれの妻であるスミヤとイッザナ、アメディの妻ハイアといった女たちの声が、死後のシェリフが語る「事件までの経緯」に絡みつくように配置されている。『光の兵士たち』というジハーディストの間で流布した文書（シェリフが強い影響を受けたとされる）がたっぷりと引用されているが、その書き手であるベルギー人女性マリカの声は、ひときわ強く響く。

第二章は一転して客観描写となり、二つの籠城事件の顚末が人質にされた者たちと犯人いずれの主観も排してドライに描かれる。そして第三章にいたり、この作品の冒頭で「オレ」という一人称で登場する語り手の素性が、長崎県伊佐早市（作中では諫早がこのように表記されている）出身の日本人青年であることがようやく明かされる。

いったんは上京したものの東京の水に馴染めずに帰郷した「オレ」は、パリで起きたあの事件により「日常がぐにゃりと大きく歪んだ」と感じ、いまはパリに住み事件の犯行現場に日参するだけの無為な生活を送っている。『泥海』という表題には、干拓された伊佐早の干潟で腐臭を発しながら死に絶えていく生物と、イスラム原理主義に絡め取られ身動きがとれなくなった者たち、それぞれの苦界が重ね合わされている。さらにこの日本人青年とパリの事件の犯人たちを結ぶものとして、二〇〇八年に秋葉原で起きた死者七人、負傷者一〇人をもたらした通り魔事件も記憶から呼び起こされる。

陣野がこれほどまで執拗に血なまぐさい事件ばかり喚起させる「小説」を書いた理由は、二〇一六に刊行された『テロルの伝説——桐山襲烈伝』を読むと明らかだ。

一九九二年に早世した小説家の桐山襲は、昭和天皇の爆殺を企図した東アジア反日武装戦線・狼部隊をモデルにした作品『パルチザン伝説』、あるいは連合赤軍のあさま山荘事件を題材にした『スターバト・マーテル』など、現実の事件を題材とした小説をいくつも残した。また連続殺人犯である永山則夫を小説家として擁護し、その加入を拒んだ日本文藝家協会の姿勢を徹底的に批判した。

ところで、この作家の主要作を解題しつつ論じたこの本の終盤で、陣野は次のように書いていた。まず、桐山襲が東アジア反日武装戦線や連合赤軍、永山則夫や南方熊楠といった実在の人物を題材にすることについてこう述べる。

　彼の小説世界は、突出した存在を受け入れ、私たちの日常の延長として捉えようとする。世間で囁かれる彼らをめぐる言葉を疑い、別の可能性を模索しながら、彼らに居場所を与える。心理の襞に入り込み、あり得たかもしれない可能性の道を切り開くのだ。

これはそのまま、陣野が『泥海』を書くにあたって用いた手法である。そしてさらに、陣野はこうも書いている。

もし桐山襲という作家が生きて、南島文学へ、あるいはもっと具体的に沖縄の文学に接続されていたならば、いったいどのような二十一世紀になっていたのか、という問題を閑却するわけにはいかない。この問題に答えるには、道は二つしかない。自分で「桐山襲」という作家の跡を継承するか、あるいは、その痕跡を沖縄の現代文学の誰かに探し求めるか、である。

ここでは「南島文学」「沖縄文学」と限定されて語られており、また、このあとでは「二つの道」の後者として目取真俊という作家への言及がなされるのだが、陣野の中で前者の道、すなわち彼自身が桐山襲の「跡を継承する」という意識がすでに芽生えていたと考えるのが自然だろう。「南島」「沖縄」は具体的な場所というよりは、二一世紀の文学のなかで閑却《かんきゃく》された問題の在り処のことである。

そう考えるならば、この『泥海』という小説は、「テロリスト」たちへの素朴な政治的シンパシーを描いた小説ではないことが明らかになる。なぜなら桐山襲の長い評伝を貫くのは、彼の小説がその政治的言辞とは切断されたテクストだという視点だからだ。

フランス文学者としてこの国の文化を愛しつつも、二〇〇六年に緊急上梓した『フランス暴動――移民法とラップ・フランセ』という著作からもわかるとおり、移民社会と化した現代フランスが抱える諸矛盾をシャルリ・エブド事件以前から知悉《ちしつ》していた陣野が、ラップのリリックとジハーディストの文書以外に「言葉」をもたない現代フランスの移民二世たちの境遇への想像力をもつのは当然として、それを自らの郷里でもある長崎出身の現代青年――ほとんど彼自身の子の世代といっていい――と重ね合わせて描いたのは、彼らへの「共感」を示すためではない。なによりも現代の日本の多くの小説に対する、批評家・陣野俊史からの痛烈な批判なのだ。

二〇一九年はイラン・イスラム革命から四〇年の節目にあたる。イスラム原理主義をどのように描くかは、世界文学においても大きなテーマだった。『悪魔の詩』を書いたサルマン・ラシュディと、その発行に関わった者に対して、イランの宗教指導者ホメイニーが「死刑宣告」を発したのは一九八九年のことだ。そして日本で、一九九一年に同書の翻訳者である筑波大学助教授の五十嵐一が大学内で刺殺されている(犯人は逃亡し不明)。

世界的に話題となったベストセラーのうち、ノーベル賞も受賞したトルコ人作家オルハン・パムクの『雪』や、シャルリ・エブド事件と刊行が偶然に重なったフランス人作家ミシェル・ウエルベックの『服従』は、西欧の世俗的社会とイスラム社会の混交と軋轢を題材にしているが、どちらも視点は世俗社会、すなわち「私はシャルリ」と叫ぶ側に置かれている。

シャルリならぬ側、すなわちこの事件の犯人たちの固有名に関心をもつ者は、日本ではなおのこと少ない(私も『泥海』を読むまで知らなかった)。もちろんこの小説は、すでに死んでしまったシャリフによる(事件後の経緯を知った上での)語りが含まれることからもわかるとおり、完全なるフィクションである。サイードやシャリフ、アメディといった犯人たちが実際にどのような人物だったかは、さして重要ではない。この小説に描かれているのは「あり得たかもしれない可能性の道」であり、そこに一縷《いちる》の普遍性があることに小説家・陣野俊史は賭けたのだ。

『泥海』の巻末で陣野は、桐山の『聖なる夜　聖なる穴』と「十四階の孤独」のほかに、諫早（伊佐早）を舞台とする野呂邦暢の小説「鳥たちの河口」を参考文献に挙げている。この小説の重心は、実は分量としては少ない第三章にある。パリの事件のディテールに比べて「オレ」の行動とその背景にある心理が十分に展開されていないのが惜しまれるが、諫早の「泥海」と東京・阿佐ヶ谷の金魚の釣り堀とが、パリ郊外の風景とあわせて象徴的に多重化されているところは卓抜だ。

「オレ」が、野呂邦暢がいた諫早と、桐山襲がいた東京・阿佐ヶ谷と（さらにいうならばクアシ兄弟らがいたパリとを）往還する理由はもはや明快だろう。陣野俊史はこの二人の小説家の後継者として、そしてラップやジハーディストの文書と響き合うことも可能な「言葉」で書き続けることを、この短い作品によっておずおずと宣言したのである。

記❖二〇一九年二月

新自由主義からの生還と再起

マーク・フィッシャー『資本主義リアリズム——「この道しかない」のか?』
絲山秋子『夢も見ずに眠った。』

二〇一七年一月に自殺したイギリスの批評家マーク・フィッシャーの本が相次いでその没後に邦訳され、若い知人がこぞって読んでいるので関心をもった。二〇一八年に堀之内出版から『資本主義リアリズム』(原著は二〇〇九年刊)が、二〇一九年二月にはPヴァインのele-king booksから『わが人生の幽霊たち——うつ病、憑在論、失われた未来』(同二〇一四年刊)が出ている。

フィッシャーは一九六八年生まれで、亡くなったときは四八歳だった。ジャック・デリダを中心とするポストモダン哲学、テクノカルチャー、SF、パンク/ニューウェーブ以後のポップミュージックなど、自在な題材をアカデミシャンらしからぬポップなスタイルで論じたが、それらの題材自体はいまの私にとってあまり関心のもてるものではない。だが『資本主義リアリズム』と題されたさほど長くはない文章の断片には、いくつか目を瞠《みは》らせるものがあった。

日本とイギリス(あるいはアメリカやEUを含めた西洋世界全体)とのギャップの一つは、新自由主義のモードのもとでの社会的な領域の圧殺が、彼の地ではマーガレット・サッチャーによる保守党政権が成立した一九七九年からフルスロットルで開始されており、ほぼこの四〇年間にわたり継続したことだ。その状況は日本でもようやく全面化しつつあるが、冷戦の終結をもたらしたレーガン＝サッチャー（および補助的な存在としての中曽根）体制の「勝利」は十分に認識されず、新自由主義のもとでの四〇年にわたる現代史は、バブル経済とその崩壊、阪神淡路大震災とオウム真理教事件、そして東日本大震災といったドメスティックな出来事の羅列によってのみ綴られてきた。

二〇〇九年に刊行された『資本主義リアリズム――「この道しかない」のか？』はフィッシャーの思想の原点ともいうべき一九七九年から三〇年目という節目に出た本で、日本での紹介は約一〇年遅れたことになる。マーガレット・サッチャーが新自由主義政策の推進にあたって言明した有名な二つの格言、「社会などというものは存在しない（There's no such thing as society)」「この道しかない（There is no alternative)」のうち後者を副題とする同書でフィッシャーは「この道」、すなわち資本主義がその他のあらゆる代替的な選択肢を見えなくしてしまい、それこそが唯一の現実であるように見えてしまう機構を「資本主義リアリズム」と名付け、この本で徹底的に分析した。

私が注目したのはフィッシャーがその分析において「精神保健《メンタルヘルス》」と「官僚主義《ビューロクラシー》」に焦点をあてたことだ。新自由主義下においては官僚制（その象徴として彼はコールセンターを挙げる）がカフカ的な不条理さとともにむしろ強化されている、とフィッシャーは言う。そして不況と同語である「鬱（depression）」とは資本主義リアリズムが必然的に人に強いる精神状態だと喝破し、そこからの脱却路となりうる「もう一つの道（alternative）」を探っていく。だが最終的に彼の命を奪ったのも時代の宿痾ともいうべき鬱病だった。

パンク以後のポップミュージック、新自由主義下の労働、そして鬱。この三題噺から私はある一人の日本の小説家を思い起こさざるを得ない。それは絲山秋子である。

フィッシャーとほぼ同世代の一九六六年生まれである絲山は、二〇〇三年に「イッツ・オンリー・トーク」で文學界新人賞を受賞後、二〇〇四年には『袋小路の男』で川端康成文学賞、二〇〇五年には『沖で待つ』で芥川賞を受賞（『逃亡くそたわけ』も一つ前の回で直木賞候補となった）と順調に作家生活をスタートさせた一方で、長らく躁鬱病（双極性障害）で苦しんでいることを早くからカムアウトしていた。男女雇用機会均等法以後の世代である絲山は、住宅設備機器メーカーに総合職として勤務していたが、一九九八年にこの病を発症し入院、のちに退職した。小説を書き始めたのはその入院中のことだったという。

絲山の最新作『夢も見ずに眠った。』は、鬱病を発症した登場人物が寛解するまでの過程が描かれる物語だ。同時期に発売されたエッセイ集『絲的ココロエ』によると、『夢も見ずに眠った。』の雑誌連載が始まった二〇一六年春頃には絲山自身も投薬の必要がなくなっており、長期にわたる闘病生活にいちおうの終止符が打たれたのだという。

『夢も見ずに眠った。』の主人公は布施沙和子《ふせさわこ》と布施高之《たかゆき》という、物語の開始時点では夫婦である三〇代の男女だ。東京の中延で母子家庭の次男として育った高之は、熊谷にある沙和子の実家で入婿として妻や義父母と暮らしている。

結婚後も仕事を続ける沙和子は、やがて札幌への異動を命じられ、高之を熊谷に残して単身赴任する。二人は別居のまま大きな波乱もなく結婚生活を続けるが、部下の結婚式のため京都を訪れた帰りの沙和子と大津で合流するため、熊谷から遠距離ドライブをするうちに、高之は深刻な鬱病を発症してしまう。これがきっかけとなり、二人は離婚することになる。ここまでが物語の前半だ。

二人がまだ大学生だった一九九八年を描いた五章を唯一の例外に、作中では二〇一〇年から二〇二二年までの月日が順行で流れる。四半世紀にわたるクロニクルともいうべき章立てのなかで、二人はさまざまな事情から移動を繰り返し、物語の舞台も、岡山、熊谷、遠野、大津、函館、青梅、横浜、東京と移り変わる。

ところで、この小説には、これまでの絲山作品で守られてきた倫理、あるいはルールにいくつかの変更が行われている。

絲山の小説では、登場人物は基本的に自動車で移動する。車は登場人物たちの個別性と精神の自由の象徴であり、だからこそつねに具体的な車種を明示しつつ描写されてきた。『夢も見ずに眠った。』でも高之は妻と会うため車で長距離移動を行うが、この場面で彼が乗る車の車種に言及はない。おそらく熊谷の沙和子の実家の車であろうが、これは異例なことだ。しかもそれは破滅へ向かう、呪われたドライブなのだ。高之だけではない。沙和子も物語の終盤で小さな交通事故に遭う。つまりこの小説において、自動車は必ずしも聖なるものではない。これが規則の変更その一だ。

また絲山秋子はこれまで東京を肯定的に描くことを忌避してきた。だが、この小説の終盤では沙和子は東京に住みたいと願い、それを実行する。それどころか東京は彼女にとって再起の拠点となるのだ。東京との和解、これが規則の変更その二である。

ところで、沙和子と高之は物語の冒頭で岡山から倉敷への移動をめぐって諍いを起こし、二人は別行動をとる。そのささいなすれ違いはのちの破局を予感させるが、物語の終盤では二人は、そのほころびを編み直すかのように、山陽・山陰の複雑な鉄道路線を乗り継いで奥出雲へと向かう。この小説の他の箇所でも、自在な移動手段とは言い難い鉄道のネットワークが、その不如意さゆえにこそ、あたかもセイフティネットのように機能している。これも規則変更の一つに数えてもいい。

絲山のデビュー作「イッツ・オンリー・トーク」には、すでに躁鬱病への言及があり、痛快なロードノヴェルの傑作『逃亡くそたわけ』は、より直接的にこの病気を題材にしていた。作家の病歴を文学研究の材料とする病跡学というアプローチがあるが、私はここで絲山秋子についてそのような分析をするつもりはない。分析するまでもなく、作家自身が正面からこの病に向き合い、長い時間をかけて克服したことは、『夢も見ずに眠った。』という見事な作品を読めばわかる。

むしろここで問うべきは、彼女の病は完全に「個人的」なものだったのか、ということだ。

フィッシャーは自死し、絲山は見事に生還した。その対比があまりにも鮮やかなだけに、この病を個人的なものとしてのみとらえる視点に対し、私は一定の留保をつけたいと思うのだ。

これも偶然とは思えないのだが、絲山秋子の小説の端々にはカール・マルクスの影が感じられる。『逃亡くそたわけ』の語り手である「花ちゃん」は、『資本論』の「亜麻布《あまぬの》二十エレは上衣《じょうい》一着に値する」という一節が幻聴としていつまでも消えないことが鬱病以上に恐ろしい。交換価値と使用価値をめぐるこの言葉は彼女にとって呪文に等しい。

男女雇用機会均等法の施行以後に総合職の企業戦士となった女たちの多くが、プロテスタンティズムを内面化したような勤労倫理で働いた。一九八六年に施行された均等法は福祉国家の終焉、すなわち新自由主義へのルール変更を象徴する重要な法律だが、これが国鉄の分割民営化とほぼ同時期に中曽根政権下で実現したことは偶然ではない。

絲山秋子の小説では勤労倫理と精神の自由のジレンマが繰り返し描かれてきた。物語はその難問を一挙に打開する魔法であり、その過程で酷い目に遭う登場人物たちを絲山秋子は一身で守り、愛おしんできた。小説家としての絲山の「超然」とした態度が、それを可能にしてきたともいえる。だがこの小説では、沙和子は高之を、高之は沙和子を、もっと不器用なやりかたで愛おしむ。ともに作者の半身である二人はそのようにして恢復する。

冒頭と終盤で二度も舞台となる岡山は、彼らの移動をランダムな彷徨に終わらせないための結節点ともいうべき場所だ。鉄道路線へのひんぱんな言及は古き良き国鉄時代、つまり福祉国家へのノスタルジアではない。これまでの「超然」に代るものとして、マルクス的な「交通」を可能とする人と世界とのネットワークへの信頼が描かれているように私には思える。

かつて絲山は、「文学は、どんなにがんばっても忘れられた経済学の理論以上にはなれなかった」(「作家の超然」)と述べた。絲山がまだこのように考えているのかどうかは、私にはわからない。しかし私たちは、資本論リアリズムに敗北することなく生還し、「経済学の理論」以上の物語を描きうる、一人の偉大な作家を同時代に持ち得ていることに、誇りと喜びを感じてよいはずだ。

記❖二〇一九年三月

元号や天皇（制）の無意味を語るために

「文藝」二〇一九年夏季号
古谷田奈月『神前酔狂宴』

河出書房新社の文芸誌「文藝」がリニューアルされ、「平成最終号」と名付けられた刷新後の最初の号（二〇一九年夏季号）は「天皇・平成・文学」という特集が組まれている。

すでに新元号が発表されたいまから見ると奇妙だが、文芸誌に限らずすべての雑誌は時間の先取りをしているようで、実はつねに時間に遅れる。過去に書かれたテキストを未来に向けて投げかけるのが雑誌というメディアの宿命だが、それは同時に、すでに書かれたテキストが時の試練を受けるということでもある。

政府が仕掛けた「改元広報」ともいうべきご一新ムードのなかで平成という言葉はいま急速に陳腐化しつつあるが、「天皇」というキーワードを仕込んだという一点で、この特集を組んだ「文藝」新編集長（坂上陽子）の勇気を支持したい。

巻頭で池澤夏樹と高橋源一郎が「なぜ今、天皇を書くのか」という対談を行っている。池澤はいま日本経済新聞で『ワカタケル』という長編小説を（ワカタケルとは雄略天皇のこと）、高橋源一郎は「新潮」で『ヒロヒト』という長編小説を連載中であることから実現した対談だが、二人の天皇観は実に対照的だ。

池澤夏樹は古事記をはじめとする古典の精読から、天皇とは古代から何度もその性格が切り替わってきたシステムであることを理解している。その視点から『ワカタケル』でも天皇の脱魔術化、人間化（それを池澤は一言で「悪い奴」と表現している）を試みているようだ。

一方の高橋は近代天皇制、つまり天皇を改めて魔術的な存在にしてしまった近代の発明に焦点を当てるのだが、その結果として高橋は天皇（というシステム）に魅せられている自分を十分に否定することができていない。天皇の存在を文学作品に取り上げる際のアプローチとして私は池澤夏樹の方法を支持するが（そのほうが小説として読んで面白いに決まっている）、「平成文学」の不毛の象徴ともいうべき高橋源一郎がこの時代の最後に取り上げた題材が昭和天皇だったことは意味深長だ。平成初めの『優雅で感傷的な日本野球』から末年の『ヒロヒト』まで、高橋がこだわったのはひたすら「日本」だった。

他方、平成論壇をほぼ一手に引き受けた感のある思想家・東浩紀はこの特集で敗北宣言ないし転向宣言ともとれる「平成という病」というエッセイを書いているが、ここでは触れない。「平成」という元号がそこまで時代を画するに値するものだと私は思わないからだが、一言だけ東の言葉を引用しておく。

> 平成は祭りの時代だった。平成はすべてを祭りに還元し、祭りさえやっていれば社会は変わ

ると勘違いをし、そして疲弊して自滅した時代だった。

これはむしろ平成より、これから来る次の元号の時代にふさわしい予言に私には思える。

ところで、文芸誌がこうした特集を組むときに対談や座談会、エッセイを企画するのはたやすい。寄稿者にそれほど負担もかからず、短期決戦で仕込めるからだ。だが文芸誌の死命を決するのは小説作品である。

この特集で主軸となる作品を任されたのが古谷田奈月であることを知ったとき、私は「文藝」の誌面刷新の成功を確信した。古谷田は以前の「早稲田文学」とフェミニズムをめぐる一連の騒動のなかでも、問われていることの本質を射貫いた力強い作品によって戦い続けた唯一といっていい小説家だったからである。

この号に一挙掲載された三七〇枚にわたる古谷田奈月の長編小説は『神前酔狂宴《しんぜんすいきょうえん》』と題されている。

もとは人だが、今は神で、都心の喧噪の及ばない暗がりにそれぞれ祀られている。

「椚萬蔵《くぬぎばんぞう》」と「高堂伊太郎《こうどういたろう》」という、明らかに乃木希典と東郷平八郎を意識した人物をそのように名指してこの小説は始まる。二人の軍人は「神」となったが、いまやその名を冠した建物では日々、世俗的な結婚披露宴が行われている。そのギャップにまず読者は着目させられる。

結婚披露宴は、家族創生のセレモニーであり、神によってそれが保証されるシステムの一プログラムである。ところで、一世一元の元号制のもとでは、改元とは元号が変わることだけでなく、天皇の代替わりをも意味する。次代の天皇となる者は、「人」として家族を営むのとは別に、即位の際に神代の昔から伝わるとされるモノ（天皇霊とも称される）と交わり、そのモノとなんらかの契約を結ぶとされる。ならば天皇ならざる「人」が神前で行う披露宴こそ、そのパロディなのではないか。

そこでこの小説の主人公・浜野は、神前結婚式を終えてきたばかりの新郎新婦を「一対の神」とみなす。なぜなら浜野にとって披露宴とは、まずもって無からカネを生み出すシステムだからだ。二〇〇三年、「高堂伊太郎とは誰か」さえ知らない浜野は、時給のいいアルバイトとして結婚披露宴会場で働き始める。一八歳のフリーターである浜野には梶という同い年の相棒がおり、二人はカサギスタッフという会社から高堂会館に派遣されている、という設定でこの物語は起動する。

『神前酔狂宴』では「平成」という元号は基本的に無視され、出来事は西暦によって語られる。「椚会館」と「高堂会館」には際立った思想の違いがあり、この小説はその両社を対峙させつつ、二一世紀に入ってからの世相を巧みに描いていく。

ではその違いとはどういうものか。浜野と梶の勤める高堂会館は、この時代の基本的な潮流である新自由主義の論理を受け入れる側、いわば改革派の側にいる。他方、伝統的な価値観を墨守し、結婚披露宴ビジネスの効率化とは別の論理で動く椚会館は、保守派あるいは復古派である。だが、その椚会館に、改革派の旗手として倉地という女性が台頭する。倉地ははじめ、神道系大学に通う大学四年生として浜野の前に現れるが、浜野から高堂会館の合理的なシステムを伝授され、やがて椚会館の改革にそれを活かす。その結果、「復古的なメンタリティに支えられた合理主義」という化物が生まれ、浜野たちが築きあげてきた高堂会館におけるカサギスタッフの優越した立場が危うくなる。高堂会館内の大小いくつもの結婚式場は、あたかも市街戦における陣取り合戦のように一つまた一つと陥落し、倉地の率いる椚会館の手に落ちていくのだ。

古谷田奈月は『リリース』や『風下の朱』といった先行作品でジェンダーの問題を描いたが、『神前酔狂宴』にもその意識は受け継がれている。倉地がモンスター化していくのとは対照的に、浜野たちの前には松本千帆子という女性が現れる。彼女には婚約者がいたが、式を挙げる直前に別れてしまったという。そんな松本千帆子は「自分が大切にしているもの」と神の前で結婚したいと願うようになる。いわば「お一人様婚」である。

改革派である高堂会館では、同性婚のカップルを受け入れる態勢まではすでにできていた。椚会館からの攻勢に抗する最後の陣地ともいうべき「海神《わだつみ》の間」を死守したい浜野は、松本千帆子が願う「お一人様婚」の実現に奔走する。その披露宴はどのようなものであるべきか？　図書館みたいに本をたくさん置く？　それとも博物館のように靴をたくさん並べる？　彼女の「お一人様婚」披露宴の場面がこの小説のクライマックスとなる。

婚姻とは、そしてそれによって生まれる「家」とは、その誕生を告げる契約を見守る「神」とは何か。基本的にはエンターテインメント小説である『神前酔狂宴』は、一つだけでも扱いが難しいこうした爆弾をいくつも仕込んだ物語だ。事実、披露宴会場は浜野や梶や倉地にとって「戦場」であり、それは芥川賞候補作となった『風下の朱』における野球やソフトボールの「フィールド」と同様なのである。

では古谷田奈月にとっての「戦場」とはどこか。自身の小説が掲載される場としての文芸誌であることは間違いない。「早稲田文学」が川上未映子編集で「女性号」を編纂したとき、四番打者としての風格をもつ中編『無限の玄』を書いたのが古谷田だった。繰り返すが、「女性号」が名誉ある号になりえたのは、ひとえに古谷田のこの作品がもつ優れた批評性のおかげだった。「文藝」の「平成最終号」にも同じことがいえる。池澤・高橋の対談と東のエッセイ、そして他の短編小説だけでこの号が編まれていたならば、「天皇・平成・文学」特集は名折れに終わっただろう。全五〇〇ページのうち一〇〇ページを占めるこの長編作品がもつ類《たぐい》まれな力により、「文藝」はその表紙にも謳われた「文芸再起動」を果たしえた。

だがそのことと、この号が「平成」の終わりに出たことは本質的には関係がない。文芸はむしろ元号の無意味、天皇（制）の無意味を語らねばならないはずだ。『神前酔狂宴』はそのことを書いた小説でもある。そもそも浜野はなぜ、松本千帆子が願った「お一人様婚」をもっとも理想的に実現できたのか。それは浜野が「劇作家」、つまり物語を書く人間だからだ。

記憶の中の倉地が言うには、天皇とは現人神《あらひとがみ》なのだそうだ。人の姿をとった神。なるほど賢い考え方だ、そう考えれば楽になれそうだと、二重橋を眺めながら浜野は思った。天皇もまた生きているのだと考えることはそれくらい苦しいことだった。血の通った体に百の感情を持つ心、つまりただの人間が、今この瞬間も神と間違われ幽閉されているのなら救ってやりたいとも思った。解体用のクレーン車で攻め込んで、鉄球をぶん回し、皇居も外苑も江戸城跡地もすべて更地にしてやりたかった。

当たり前のことだが、小説とは「人の言葉」で「人」を描くことだ。「天皇・平成・文学」という特集テーマから類推されるような「天皇文学」や「平成文学」などというものは存在しない。天皇を題材に描こうが平成を題材に描こうが、そこに立ち現れるのは人でなければならず、そうであればそれはもうただの「文学」なのだ。『神前酔狂宴』とは、いまなお何かに囚われ幽閉されたままの「人」の心を、「解体用のクレーン車で攻め込んで、鉄球をぶん回し」て救出する話なのである。

記❖二〇一九年四月

「改元の後、改元の前」に芥川の幽霊が語ること

デイヴィッド・ピース『Xと云う患者——龍之介幻想』

新しい元号が発表されてからそれが実施されるまでの渦中で思い浮かべていたのは、一つ前の改元ではなく、さらに一つ前、つまり大正から昭和への改元のことだった。

大正一五年が昭和元年と改められたのは西暦では一九二六年の暮れで、翌年が実質的な昭和の最初の年となった。そしてこの年の夏、一人の小説家が自死している。芥川龍之介である。

大正三年、東京帝国大学在学中に第三次『新思潮』を菊池寛、久米正雄らとともに創刊し、翌年に「羅生門」が『帝国文学』に掲載されたことで文壇にデビューした芥川龍之介は、まさに「大正」という時代とともに生き、死んだ小説家だった。

イギリス生まれで日本在住歴の長いデイヴィッド・ピースの『Xという患者——龍之介幻想』は、芥川龍之介の作品テキストとその生涯を彩るエピソードを素材に、縦横無尽にカットアップ／コラージュされた一二の短篇からなる連作集だが、たまたま改元の時期に重なって邦訳が刊行

されたことで、きわめてアクチュアリティのある作品になった。

ピースは一九六七年にイギリスのヨークシャーで生まれた。故郷の地で現実に起きた「ヨークシャーの切り裂き魔事件」を題材とした小説『1974 ジョーカー』という作品で一九九九年にデビューし、以後、連作として『1977 リッパー』『1980 ハンター』『1983 ゴースト』という、いわゆる〈ヨークシャー四部作〉を発表し続けてきた。

また戦後の日本を舞台とした〈東京三部作〉のうち、一九四五年に起きた小平義雄による連続強姦殺人事件を題材とした『TOKYO YEAR ZERO』、一九四八年の帝銀事件を題材とした『占領都市——TOKYO YEAR ZERO II』がすでに発表されている（下山事件を題材とする第三部『The Exorcists』の執筆は予定より大幅に遅れ、二〇二〇年に刊行予定とのこと）。

このうち私が読んだのは、今回の『Xという患者』の他には『TOKYO YEAR ZERO』と『占領都市——TOKYO YEAR ZERO II』のみだが、正直に言えば、後者二作についてはたいして出来のよいものとは思えない。H・P・ラヴクラフトやエドガー・アラン・ポーを偏愛し、ジェイムズ・エルロイやジム・トンプスンの暗黒小説に傾倒するという「ノワール趣味」そのものが日本の八〇年代から九〇年代にかけてのサブカルチャー文脈とほぼ軌を一にしているし、京極夏彦のようなエンターテインメント作家と比較してさえ、その筆力の差は大きいと感じた。

またピースがこれらの作品で企図したという「アンチ・クライム・ノベル」、すなわち既存のミステリに対して批評性をもつミステリという発想においても、戦前の『新青年』に載った夢野久作や小栗虫太郎といった作家を別格としても、戦後の一九六四年には中井英夫（塔晶夫）が

『虚無への供物』という圧倒的な作品を生み出しており、いまさらピースの出る幕はない。

未読である〈ヨークシャー四部作〉に対する評価は留保するが、戦後の東京を舞台とする既発表の二作は悪しきオリエンタリズムの産物とさえ言え、とても高く評価できるものではなかっただけに、今回の『Xという患者』の目覚ましい出来栄えはいったい何に依るものなのかが気になった。

もちろんピースはすでにデビューから二〇年を経たベテランであり、作家としての成熟ということは当然あるだろう。そしてもう一つ、ピースが文学的な主題としてきたものを、現在の日本社会が受け入れやすい状況になってきていることが挙げられる。かつて日本はピースにとって、オリエンタリズムの魔法が機能するエキゾティックな場所だった。しかしいまやそこは、かつての彼の故郷ヨークシャーとそっくりなのかもしれないのだ。

〈ヨークシャー四部作〉は一九七四年から八〇年代にかけてのイギリス、つまりサッチャー政権が登場し、新自由主義が全面化していく時代を舞台にしている。これも未読だが二〇〇四年に発表されたピースの『GB84』という作品（未邦訳）は、一九八四年にイギリスで起きた大規模な炭鉱ストライキを題材にしたものらしい（同作はイギリスでもっとも古くからある文学賞、ジェイムズ・テイト・ブラック記念賞を受賞している）。

こうした来歴からみて、ピースの主題は過去の特定の時代を描くというよりは、人間が人間として存在することが許されず、一種の「幽霊」化するしかない状況そのものを描くことにあると考えたほうがよい。ピースのような異郷出身者が日本においてそうした時代を描こうとしたとき、かつては（小平事件、帝銀事件、下山事件が象徴するような）戦後の混乱期以外にそれを見出すことが難しかったのだろう。

だが日本は二一世紀に入ってようやく、サッチャリズム下のイギリスが経験したのと同様の新自由主義政策、つまりそのもとで暮らす人間を「幽霊」化させざるをえない政治プロセスの全面化を経験するようになった。ピースのそうした思いは、大正時代中期から昭和改元までの時代を舞台とするはずの『Xという患者』のエピグラフに、この連載でもかつて言及したイギリスの批評家、マーク・フィッシャーへの献辞があることからも分かる（もうひとりのウィリアム・ミラーについてはよくわからない）。

一九二七年に三五歳の若さで自死した芥川龍之介と、二〇一七年に四八歳でやはり自死したフィッシャーは、いずれも深刻な鬱病に悩まされていた。その意味で『Xという患者』という作品は、アクチュアルな「現代小説」なのである。

ピースにとって芥川龍之介という作家の存在がきわめて大きいことは、『TOKYO YEAR ZERO』のエピグラフに「或阿呆の一生」からの言葉が引かれていることからも、またその続編である『占領都市――TOKYO YEAR ZERO II』が芥川の「羅生門」「藪の中」を模した、複数の証言者が異なる「真実」を語るという構成からも明らかだ。『Xという患者』は、そんなピースが自身の存在証明として書いた、まさに乾坤一擲の作品というべきだろう。

大正／昭和改元期と現代との奇妙なシンクロニシティは、震災という出来事においてもピースに味方したようだ。『Xという患者』にはそれぞれ発表時期の異なる一二篇の文章が収められているが、そのうちの「災禍の後、災禍の前（原題は「After the Disaster, Before the Disaster」）」は二〇一一年三月に発表されたもので、これは東日本大震災を受けて編まれたアンソロジー『それでも三月は、また』に収められたものだ（その際の邦題は「惨事のあと、惨事のまえ」）。

このテキストが生まれたことをきっかけに、ピースは芥川龍之介をモチーフとする文章を散発的に書いていく。二〇一四年には柴田元幸が編集する文芸誌「Monkey」に「龍之介のあと、龍之介のまえ――」（本書には「二度語られた話《ア・トワイス・トールド・テール》」として収録）が発表され、同年には「グランタ（Granta）」誌にも「戦争の後、戦争の前」が掲載された。さらに二〇一六年にはイタリアで刊行された自身の短篇集のために「糸の後、糸の前」を書き下ろしている。これらがすべて「～の後、～の前」という題をもつことからも分かるとおり、ピースの関心は単なる時系列に沿ったクロノロジーにはない。むしろ時の流れを逆流させ、混濁させること、その渦から浮かび上がる真実を物語によって語らせることにある。

これらを含む全一二話では、よく知られた芥川龍之介の作品（「蜘蛛の糸」「地獄変」「河童」「歯車」など）から大胆かつ巧みなカットアップ／コラージュが行われているのみならず、「大導寺信輔の半生」や「或阿呆の一生」、あるいはその他の自伝的エッセイで描かれている芥川自身のバイオグラフィー的事実さえもがカットアップの対象とされている。

さらに師である漱石や、『文芸的な、余りに文芸的な』で激しい論争を行った谷崎潤一郎とのエピソードまでが盛り込まれている。その意味では芥川龍之介という文学者の生涯そのものがカットアップされているといっていい（『Xという患者』の巻末には訳者の黒原敏行により、詳細な元ネタ一覧が訳注としてまとめられている）。

だが『Xという患者』という作品は、芥川龍之介の熱心なファンや愛読者、ましてや研究者に向けて書かれたものではないはずだ。二一世紀が始まってほぼ二〇年、芥川が生きた時代から一〇〇年近くが経ったいま、なぜかその存在が再びアクチュアルになってしまっている事実――「幽霊」がアクチュアルであるとはどういうことか、という問いも含めて――を示すこと、それが本作の狙いといっていい。日本での翻訳出版が平成から次の元号への変わり目にぶつかったのは偶然だろうが、このタイミングで読まれることはこの作品にとって不幸であるどころか、もっとも適切だといえる。

ところで、芥川が自死した昭和二（一九二七）年は、日本の出版産業史においても特筆すべき年である。大正から昭和への改元が行われた一九二六年の暮れに改造社が発行を開始した「現代日本文学全集」は、やがて「円本」と呼ばれる空前の文学全集ブームを呼んだ。これに対抗するために、翌年に岩波書店がさらに廉価なペーパーバック叢書として「岩波文庫」を立ち上げる。文学作品や文学者の存在そのものが消費財となり、その見返りとして巨大な経済的利益を手にする、そんな時代がやってくる直前に、芥川龍之介は「ぼんやりした不安」を抱いて自死した。その後の時代を知る私たちは、その予感があまりにも明敏で正確であったことに驚かざるを得ない。

翻って今回の「改元の後、改元の前」とでもいうべき時期は、約一〇〇年前に円本（文学全集）と文庫本によって生まれた「文学史」が、ほぼ完全に解体していくプロセスの末期にあたる。いまなおもっとも威厳のある文学賞に名を残す芥川龍之介は、間違いなく「日本近代文学史」が生んだ最大のヒーローだが、それは彼が最大の「幽霊」であることも意味している。

デイヴィッド・ピースはそんな時期に、『Xという患者』によって芥川龍之介を「現在」に降霊させたのである。

記❖二〇一九年五月

空疎な「日本語文学」論から遠く離れて

リービ英雄『バイリンガル・エキサイトメント』

改元は時の流れに人為的な境界を画定する行為であり、その政治性は生前退位によるものであろうと変わらない。天皇の生物学的な死から切り離しつつも一世一元を維持したことで、むしろその人為性や政治性は強まったといえる。新元号が万葉集という「国書」由来であることを強調する、政権の見え透いたナショナリズム醸成に向けた企図に逆らえず、翼賛といっても過言ではない礼賛一色の報道にもそのことははっきり現れていた。

「国書」すなわち日本文学が政治的プロパガンダに利用されようとする機運に対して、文学者の反応は鈍かった。そもそも現代文学の書き手の大半は記紀・万葉といった古代文芸にほとんど親しんでいない。池澤夏樹が編者となり河出書房新社から出た「日本文学全集」でも、池澤自身の古事記に対するアプローチは画期的だったが、万葉集については折口信夫の「口訳万葉集」の抄録で済まされており、この分野に対しては若い世代からの新しいアプローチが手薄であることを伺わせる。

そうしたなかで例外的ともいえる存在が、リービ英雄だった。リービは朝日新聞（二〇一九年四月二日付）の取材に答え、当初は新元号にピンとこなかったが「日本人の書く漢文、中国語には長い伝統がある。梅の花をめでる文化も中国大陸からきた」と述べた上で、「出典となったくだりには、そうした国際性と、やまと言葉で見事に柔らかい歌をよむ日本性が同時に感じられ」るし、その「考案者の意図」に気づいた後はこの新元号もよいものに思える、と発言していた。

日本に定住して小説家となる以前はプリンストン大学とスタンフォード大学の准教授だったリービ英雄は、三〇代前半に万葉集巻一から五までを英訳し、全米図書賞を受賞している。このまま日本文学の研究者や翻訳者であり続けるか、自ら日本語で創作を行うべきかを悩んだすえ、後者を選んだ経緯は繰り返し語られてきたが、彼のプリンストン大学および同大学院における指導教官が、新元号の「考案者」とされる国文学者の中西進だったことを私は知らなかった。

新元号の発表直前に、リービ英雄はここ一〇年ほどの間に行われた講演と対談、エッセイ等を集めた『バイリンガル・エキサイトメント』という本を刊行しており、「大和の空の下――わが師中西進」という短い文章が、そのなかに収められている。すぐには手が出なかったこの本を読んでみようと思ったのは、彼の中西進への尊敬の念が、どこに由来するのかを知りたかったからだ。

この本の冒頭には東日本大震災の二ヶ月後に行われた「その直後の『万葉集』」という講演が置かれており、そこでリービ英雄は、恩師の中西が一九七三年に出した『山上憶良』のなかで唱え、いまでは「有力な学説」になっている「山上憶良は百済からの移民だった」という説に触れている。

遣唐使の無事帰朝を願って憶良が詠んだ「好去好来歌」には、「神代《かみよ》より　言い伝《つ》て来《く》らく　そらみつ　倭国《やまとのくに》は　皇神《すめがみ》の　厳《いつく》しき国　言霊《ことだま》の　幸《さき》はふ国」という有名な一節がある。「言霊の幸はふ国」は安易な文学的ナショナリズムの根拠にもされがちな危険な言葉だが、憶良が百済からの移民だとすると見え方も変わってくる。万葉集はアジア大陸全体を視野に入れた、国際的な視野のもとで解釈すべきだとリービは言うのだ。

さらにリービ英雄はこの講演で、直接の話題である「3・11」や万葉集翻訳体験とは別に、その一〇年前に起きた「9・11」についても語っている。その日、彼はちょうど日本からニューヨークの親族の元へ飛行機で向かっていた。直行便の長時間フライトでは禁煙に耐えられないためトランジット便を選んだが、国境が閉鎖されカナダ国内で数日にわたり足止めを食らってしまう。そのときの経験はのちに『千々にくだけて』という小説となった。

ニューヨークでのテロ事件発生をまだ知らなかった時点で、上空から北米大陸西岸に押し寄せる波を見て、この小説の主人公は芭蕉の有名な句を思い出す。「島々や千々にくだけて夏の海」――これはのちに空港で見る世界貿易センタービル崩落の映像と重なりあう。

三陸海岸の松島を歌った「千々にくだけて」は当然、この日の聴衆に東日本大震災のことを連想させただろう（松島により「千々にくだけ」たことで、入江の奥にある町は津波から守られた）。日本語のもつ表現力は二一世紀のメディアが伝える映像の、ある意味では暴力的ともいえるカタストロフィーにさえ拮抗する力がある、とリービ英雄は言う。私はむしろこのような破局に際して、芭蕉の句をただちに連想できた彼の「文学的記憶」の豊かさに感嘆せざるを得ない。

日本文学が「国際化」するというのは、村上春樹のように世界中の言語に翻訳されて多くの読者を獲得するということだけではないだろう。むしろ日本文学のなかに蓄えられてきた語彙や表現が、時代も空間も、もちろん国境や文化も超えた場所で起きた出来事についても「語り得て」しまう、という奇跡のなかにあるのではないか。少なくともリービ英雄はそのように考えているようだ。

今年（二〇一九年）の二月に亡くなったドナルド・キーンは、東日本大震災後に日本国籍を取得して「鬼怒鳴門」と名乗った。リービ英雄はこの講演で、震災の第一報を受けたキーンが「松島は大丈夫か」と日本の記者に訊ねたエピソードを紹介している。もちろんこれはキーンが人命より風景を優先したという逸話ではない。彼の日本への愛着がなによりも「日本語」に対してであったこと、その日本語を成り立たせているものとしての松島の運命に、まっさきに心が向かったことを伝えるエピソードなのだ。

さらに「新宿のlight」と題された二〇一五年の講演でも、リービ英雄は先の「好去好来歌」に触れ、この歌には「唐《もろこし》の遠き境に」というフレーズがあるが、これは「外国のボーダーがたぶん日本文学の中で初めて、日本語として書かれ」たものではないかと述べている。これらのくだりを読んでようやく、リービ英雄が師である中西進に対して感じている恩義の実質を私は理解できた気がした。

この本のタイトルである「バイリンガル・エキサイトメント」とは、もともと大江健三郎との対話のなかで、ふと出てきた言葉だという。同じことをリービ英雄は「多言語的高揚感」とも表現している。日本語そのもののなかに、多言語を包み込むエキサイティングな構造がある。これは昨今のポストコロニアルな「日本語文学」論とも「移民文学」論とも、異なる視点といっていい。

『バイリンガル・エキサイトメント』のいちばんの読みどころは、まさに「多言語的高揚感」という題をもつ章に収められた、中国人作家の閻連科《イエン・レンコー》、ドイツ在住の日本人作家・多和田葉子、そして日本で生まれ育った台湾国籍の作家・温又柔《おんゆうじゅう》との「三つの対話」だ。

多和田葉子との「危機の時代と『言葉の病』」と題された対談は、とりわけスリリングである。ポストコロニアルの文学研究でしばしば取り上げられる「移民文学」や「越境文学」といったものと、ある言葉の魅力に囚えられ、自らの意志で「母語」ではない他言語による表現へと向かった者が書く文学とはどの程度まで違い、どの程度まで同じものといえるのか。この問いをめぐる二人の対話は必ずしもすべての面で一致するわけではない。

たとえば昨今の「日本語文学」という言い方に対して、リービ英雄は自分がその「創始者の一人」だと言われることに抵抗があるという（憶良という大いなる先例を念頭に置けば、当然だろう）。多和田はそれに対して「日本語で書かれたものはすべて誰が書いても日本語文学だという意味ではないのですか。カフカもツェランもドイツ語文学ですが、ゲーテだってドイツ語文学ですよ」と問い返す。

しかしリービ英雄は「日本の言説のなかではそうはなってはいない」と切り返し、「日本語文学」は「国家の運命を背負っていない『外人』が書く」ものだとされていると述べる。ここには「日本語文学」論に対してだけでなく、一頃さかんに言われた「世界文学としての日本文学」といった議論に対する、根本的な疑義が込められている。


むしろリービ英雄の議論を裏側から補強しているのが、法政大学でリービの教え子でもあった温又柔との対話である。リービ英雄は一九五〇年代の後半、日本の植民地だった時代に台中に建設された〈模範郷〉と呼ばれる集落に家族と暮らしていた。両親の離婚により一〇歳でこの地を離れることになり、以後、一度だけ訪台したことがあるものの、〈模範郷〉のあった台中には足を踏み入れずにいたという。

リービ英雄が〈模範郷〉を再訪したのは二〇一三年で、そのときの様子はドキュメンタリー映画（大川景子監督、『異境の中の故郷』）として撮影された。この経験をリービ英雄自身も『模範郷』という小説にしており、ちょうど『バイリンガル・エキサイトメント』の刊行と同じ時期に文庫化されていた。

私はまず先にこの対談を読み、そのあとで『模範郷』を読んだが、対談冒頭の温又柔による（訪台メンバーには彼女も含まれていた）、この作品は「経験と記憶と言語化の闘いのような紀行文」だという指摘が正鵠を射ている。事実、なかば紀行文でありながら濃密な私小説でもある

『模範郷』には、リービ英雄のこれまでのすべての小説作品（創作に限れば単行本で七冊に収まるほどの寡作な作家だが）を包含するような広がり、さらにいえば「阿片戦争へさかのぼる膨大な時間」さえもがある。

リービ英雄が万葉集のナショナリスティックな読解に与しないだけでなく、ポストコロニアル風の「移民文学としての日本語文学」論にも安易に同調しないのは、彼自身がポストコロニアルの生きた証であり、その孤独な闘いはなによりも「日本語」という言語の中で行われるべきであることを知っているからに違いない。

記❖二〇一九年六月

中国大河SFは人類滅亡と革命の夢を見る

劉慈欣『三体』

中国の現代SFが日本でも紹介される機会が増えてきた。最大の功労者は中国語で書かれた優れたSF作品を発掘して英訳し、以前に本欄で紹介したことのある『折りたたみ北京』というアンソロジーを編んだ中国系アメリカ人SF作家のケン・リュウだ。

『折りたたみ北京』には劉慈欣《リウ・ツーシン》という作家の短編二作（「円」「神様の介護係」）とエッセイ「ありとあらゆる可能性の中で最悪の宇宙と最良の地球：三体と中国SF」が収められていたが、このエッセイで劉自身が詳しく論じている長編小説『三体』とその続編『黒暗森林』『死神永生』を含めた「地球往事三部曲」、いわゆる〈三体〉シリーズは、中国の現代SFにおける最大の問題作とされる（短編「円」も『三体』からのスピンアウト作品である）。「論」と「外伝」が先に紹介され、本編が後を追うことになったかたちだが、この『三体』がようやく日本語訳され話題になっている。

劉慈欣は一九六三年、山西省生まれ。本業は発電所のエンジニアだが、二〇〇六年から中国の

ＳＦ雑誌『科幻世界』で、この『三体』という長編作品の連載を開始した。ケン・リュウ訳による英語版『三体』は、二〇一五年にヒューゴー賞の長編部門を非英語圏からの翻訳作品として初めて受賞。そのことも追い風となり、〈三体〉シリーズは中国でのべ二一〇〇万部、全世界ではのべ二九〇〇万部という驚異的なベストセラーとなった。

　物語は一九六七年から始まる。文化大革命が吹き荒れるなか、理論物理学者の葉哲泰《イエ・ジョータイ》が粛清される。「アメリカ帝国主義の資産階級理論」である相対性理論を教えたことが罪に問われたのだった。父の粛清を目撃した娘の葉文潔《イエ・ウェンジェ》にも危機が迫るが、最終的には彼女がもつ天文物理学者としての天才的な能力が身を助ける。

　二年後、大興安嶺山脈を望む内モンゴル地域の生産建設兵団で強制労働の日々を過ごしていた彼女は謀略に巻き込まれ反革命罪に問われるが、「紅岸」という極秘プロジェクトへの協力と引き換えに罪を許される。この「紅岸」プロジェクトの目的は地球外生命体との交信を行うことだった。文潔は人類にとって悲願ともいえるこの夢を叶える技術を生み出し、「三体星人」とひそかに交信する。

　だが文革によって彼女が負った心の傷は、このファースト・コンタクトを人類滅亡の道へと導く。彼女は「種の共産主義」を唱える活動家マイク・エヴァンズとともに、三体星人の地球への「降臨」を歓迎し、人類の滅亡を促すための秘密組織「地球三体協会」を立ち上げるのだ。

『三体』におけるヒロインはこの葉文潔だが、汪淼《ワン・ミャオ》というナノテクノロジー専門の研究者が狂言回しのような役を与えられている。文化大革命が吹き荒れた時代から四〇数年が経った二〇〇〇年代初頭の中国では、〈科学フロンティア〉と呼ばれる基礎理論の研究者組織が生まれる。そのメンバーを妻にもつ汪淼のまわりで科学者の不審な自殺が相次ぎ、汪は軍と警察の捜査を受ける。かつての「紅岸」基地の最高技術責任者・楊衛寧《ヤン・ウェイニン》と文潔の間に生まれた娘・楊冬《ヤン・ドン》は宇宙論研究者となっていたが、汪淼の周囲で相次いだ自殺者の最後の一人は彼女だった。〈科学フロンティア〉のメンバーとなった汪淼は、バーチャルリアリティ型ゲーム「三体」をプレイすることを通じ、人類が地球外生命体とのファーストコンタクトをすでに果たしていたことを知る。このゲームでは各文明（歴代中国王朝に擬えられる）が滅亡するたびにステージが上がっていき、一定水準までクリアしたユーザーは「地球三体協会」という人類絶滅を志向するカルトへの参加を促される。「三体星人」は三つの恒星からなる連星系に生息しており、そこでは恒星がカオス的なまでにランダムな動きをするため、文明は永続することなく何度も絶滅を繰り返すことになる。「三体星人」は生存のため連星系から離脱して別天地をめざすことを決意する。その目的地は地球だった。

『三体』という小説には、おおよそ三つの要素がややぎこちないかたちで溶け込んでいる。一つは理論物理学や宇宙論の基礎から最先端までの知見を盛り込んだハードSFとしての要素。もう一つは文化大革命を経験した世代がその時代に負った傷について語る「傷痕文学」としての要素（これについては「SFマガジン」二〇一九年八月号掲載の陸秋槎によるエッセイ「傷痕文学からワイドスクリーン・バロックへ」が詳しい）。そして三つ目は稗史小説の伝統を受け継ぐ明快なエンターテインメントとしての要素だ。
この作品が中国で多くの読者を獲得した理由を、作者の劉慈欣は「ありとあらゆる可能性の中で最悪の宇宙と最良の地球：三体と中国ＳＦ」のなかで、次のように書いている。

中国でのＳＦ小説の主な消費者は高校生から大学生だ。しかし〈三体〉はなぜかＩＴ起業家の注目を集めた――ウェブ上のフォーラムでもそれ以外の場所でも、彼らはこの本の様々なディティール（例えばフェルミのパラドックスへの回答である宇宙の「暗黒森理論」や、異星人による太陽系への次元削減攻撃など）を中国ウェブ企業間の苛烈な競争のメタファーと受け取って議論を重ねた。

〈三体〉シリーズはこうした熱心な読者の口コミに支えられて驚異的なベストセラーになったわけだが、若い世代の「ＩＴ起業家」が注目したのが、とりわけ理論物理学や宇宙論がふんだんに盛り込まれたハードＳＦとしての側面だったことが伺える。
ちなみに『三体』日本語版の翻訳者としては、大森望、光吉さくら、ワン・チャイの三人が連名でクレジットされている。大森望の「訳者あとがき」によると、後者二人が中国語原作から訳した文章があらかじめ存在し、そこに大森がケン・リュウによる英語訳を参照しつつ「ＳＦらしくリライト」するという変則的な方法がとられたのだという。そのためもあってか、同じくリュウによる英訳から日本語訳された「円」（訳者は中原尚哉）と比べ、『三体』の文体はかなりテイストの違うものになっている。私が『三体』日本語訳から感じたのは、大森により「ＳＦらしくリライト」されているにもかかわらず、元の訳文がもっていたであろう稗史小説の色濃い雰囲気である。

実は『三体』には三人目の重要な登場人物がいる。それは史強《シー・チアン》という名の警察官だ。史強は「地球三体協会」を監視する側、つまり国家権力側の人間である。また文潔や汪淼が科学者や研究者という「専門家エリート」であるのに対し、実践知のみでやってきた「現場叩き上げ」の人間でもある。『三体』がもつ三つの要素のうち、文潔がややウェットな文革後の「傷痕文学」としての要素を、汪淼が精密かつ破天荒なハードＳＦの要素を象徴するキャラクターだとすれば、史強は「三国志演義」や「水滸伝」といった稗史や、その流れを汲む武侠小説に通じる要素を象徴している。こう考えると『三体』が中国社会の各層に広く訴えることのできた作品であることが理解できる。

文化大革命の終焉、つまり毛沢東の死去と四人組の粛清からわずか四〇数年で凄まじい高度経済成長を遂げた中華人民共和国において、世代間あるいは階級間（現代中国はまぎれもない「階級社会」である）における分断は、日本人が想像する以上に大きいに違いない。「ＩＴ起業家」をはじめとする都市部のアッパーミドルクラスだけが支持したのであれば、〈三体〉シリーズが二一〇〇万人もの読者を獲得したとは思えない。

文化大革命で父親を殺された主人公・葉文潔が、「三体星人」がもつ高度な文明の力を利用して地球の人類文明を絶滅させようとするという設定は、スケールこそ異なるが、日本におけるポスト全共闘小説の象徴である村上春樹がＳＦ小説の枠組みを借りて書いた『１Ｑ８４』で、青豆という無情な女性テロリストを造型したことに通じるものがある。また三体星人の暮らす連星系が文明を何度も滅亡させるのは、歴代中国王朝と同様に、現在の中華人民共和国という「王朝」もカオス的な混乱の中で滅びるのかもしれない、いっそ滅びてしまえばいい、という読者の深層心理に訴えかけるものがあるからだろう。

現在の中国共産党体制は毛沢東の文革路線を否定した上で成立した、ある意味では「新王朝」である。したがって小説のなかで文革時代を否定的に描くことは「政治的に正しい」ことと言ってもよい。だが一九六〇年代から二〇〇〇年代初頭を舞台とする『三体』には、天安門事件を連想させる出来事はまったく描かれない。

高度な地球外生命体の手で人類文明が滅亡することを願う「地球三体協会」は、中国歴代王朝の末期に生まれた各種のカルト宗教（宋末の白蓮教、清末の太平天国のようなもの）のようなものとして描かれる。指導者である文潔の意図にかかわらず、「地球三体協会」ではカルトの宿命としてすでに「降臨派」「救済派」「生存派」の三派に分かれて抗争が始まっている。

『三体』は、このうちでもっとも強硬な人類絶滅思想を唱える「降臨派」を、対抗派閥である「救済派」が国家権力とつうじて解体するところで終わる（汪淼がもつナノテクノロジーの卓越した知識は、この内ゲバにおいて大きな役割を果たす）。エリート知識人である汪淼はそこに人類文明の絶望的な未来だけを見て取るが、体制側の警官でありながら大衆的感覚を失わない史強は、より広範な大衆反乱への期待を込めた楽観主義に立つ。文明をリセットさせるのは高度な文明の力ではなく、むしろ一人ひとりは無力に思える「虫けら」のような人民の力なのだ、と。

二一〇〇万部ものベストセラーを支えた読者のなかには、こうした決着のつけ方に文化大革命の単純な否定ではない、もう一つのラジカルな革命思想を見て取る者もいたのではないだろうか。

記❖二〇一九年七月

没後二〇年、「妖刀」は甦ったか？

平山周吉『江藤淳は甦える』

批評家の江藤淳が「自裁」して果てたのは、一九九九年七月二一日のことだった。最愛の夫人を前年一二月に喪った後、江藤自身も入退院を繰り返し、死の前月には軽い脳梗塞と診断されていた。遺書に曰く、「脳梗塞の発作に遭いし以来の江藤淳は形骸に過ぎず。自ら処決して形骸を断ずる所以なり」。多くの書き手に影響を与えた批評家のこのようなかたちでの自死は、戦後文学史においても際立つ大事件だった。

しかし、二一世紀に入ると江藤淳は確実に忘れられていった。

生前の江藤淳と最後に会った編集者は、絶筆となった「文學界」の連載「幼年時代」を担当していた細井秀雄である。彼はのちに「平山周吉」のペンネームで作家として活躍するようになる。昭和天皇が御前会議で詠んだ歌の新解釈を行った『昭和天皇「よもの海」の謎』や、藤田嗣治のユニークな評伝『戦争画リターンズ――藤田嗣治とアッツ島の花々』といった話題作を発表する傍らで、平山は江藤淳の評伝にも着手していた。

二〇一五年に「新潮45」八月号から連載が開始されたその評伝は、江藤淳が三〇歳だった一九六三年のエピソードを描いた二〇一八年一月号掲載の第三〇章で中断を余儀なくされたが（同年九月には雑誌そのものが廃刊となった）、さらに一五章分が書き下ろされて今年（二〇一九年）四月に七五〇ページを超える大著『江藤淳は甦える』として上梓された。

また神奈川近代文学館では五月から七月にかけて企画展「没後二〇年　江藤淳展」が開催され、上野千鶴子と高橋源一郎が講演を行った。「新潮」九月号の特集「江藤淳　没後二〇年」には二人の講演再録のほか『江藤淳は甦える』をめぐる平山周吉と政治学者の苅部直の対談、江藤淳の愛弟子を自称する批評家・福田和也の久しぶりの文章が掲載されていた。だが、神奈川近代文学館の企画展も、「新潮」の特集も、江藤の「没後二〇年」を伝えるだけで、新しい読み返しのためのキーワードを示すことはできなかった。

このような事実関係を論評の前に記したのは、江藤淳との距離感が最後までつかめないまま、『江藤淳は甦える』を一気に読み終えたからだ。

小説家や批評家に、江藤淳の愛読者は多い。上野・高橋といった全共闘世代や、その少し後の世代から新人類世代まで、批評家でいえば福田和也のほかにも大塚英志、小谷野敦が江藤淳についてたびたび言及している。

だが、ある世代以後から江藤淳の影響力はパタリと絶える。たとえば「新潮」で平山周吉と対談している苅部直は、江藤に対する最初の印象はテレビで護憲派と議論していた「憲法おじさん」、つまり日本国憲法について独自の主張を行う保守派の論客としてであり、「文学者」としての認知は遅れたという。この感覚は苅部より一年年長である私ときわめて近い。

いま思い返しても、私が江藤淳の文学論にリアルタイムの読者として接する機会は、一九六六年から一九九五年まで担当していた文藝賞の選評（一九八〇年の田中康夫『なんとなく、クリスタル』を激賞したことが有名）と、三島由紀夫賞の選評（一九八八年から一九九七年まで選考委員として参加）くらいしかなかった。

一九八八年に決定した三島賞の第一回受賞作は高橋源一郎の『優雅で感傷的な日本野球』だったが、高橋は先に触れた講演で「江藤さんが激賞してくれたおかげで取れたようなものです」と述べている。江藤淳は日本のポストモダン文学に対して独特の視座から不思議な「肯定」をする人だったが、その主張は苅部が江藤の憲法論について感じていたのと同様、私にも「何を言いたいのかよくわからない」いものだった。

江藤淳の著作のうち、私がまともに読んだのは『漱石とその時代』（全五巻）と『閉された言語空間――占領軍の検閲と戦後日本』だけで、あとは断片的にいくつかのエッセイや対談に目を通した程度である。それぞれは江藤の文学論と政論における主著ではあるが、両者が彼のなかでどのような関係になっているのか、当時の私にはまったく理解できなかった。

私が江藤の文学論を読み始めた頃には、学術的な漱石研究において江藤の「嫂への恋慕」説はすでにきっぱりと否定されていたし、憲法論や「無条件降伏」論争、アメリカの占領政策をめぐる江藤の主張も、どちらかといえば劣勢だった。

『閉された言語空間』は占領軍による「ウォー・ギルト・インフォメーション・プログラム」、

いわゆるＷＧＩＰについてかなりの紙幅を割いている。占領軍の検閲はいまや誰もが知る端的な事実だが、百田尚樹の『日本国紀』で展開された「ＷＧＩＰ陰謀論」ともいうべき戦後史観が嘲笑の対象となる現在において、江藤のこの本の価値を認める者も少なくなっている。つまり文学論、政論のいずれにおいても、江藤淳はすでに過去の人なのだ。

だからこそ、平山周吉の本の題名には「甦える」という言葉が添えられなければならなかったのである。

江藤淳という批評家がわかりにくいのは、彼の論の中心につねに「私」、あるいは彼の「一族」が据えられているからだ。私は未読だが、江藤の代表作に『一族再会』と『妻と私』がある。江藤が自らの著作に意識的に『〇〇と私』という題をつけたことはよく知られており（私もそのいくつかには目を通した）、主なものだけでも『アメリカと私』『文学と私　戦後と私』『犬と私』、そして生前は未刊行だったが、没後にちくま学芸文庫版「江藤淳セレクション」に収められた『日本と私』というエッセイがある。

批評家は小説家以上に「私」を打ち出さざるを得ないとは言え、あなたがどんな人であるかは知ったことではない、という思いが先に立ち、とてもこれらの本を読む気持ちにはならなかった。だが平山の評伝は、そんな私にも清々しいと思えるほど赤裸々に、江藤淳という人物の「謎」を解き明かしてくれた。

幼いうちに亡くした母への思慕、学生時代に知り合ってすぐに世帯をもった愛妻・慶子との関係、「三田文学」で出会った畏友・山川方夫の存在感と、早すぎるその死がもたらした喪失感……江藤淳をとりまく親密圏ともいうべき、そうした人間関係の正確な解剖を第一とする平山のアプローチは、漱石論をはじめとする江藤淳の文学論における真のモチーフを浮き彫りにする。ここから浮かぶのは、切実に他人からの愛を求めながらも、それを得てなお孤立を深めていく一人の早熟な知識人の姿だ。夏目漱石への江藤の偏愛も、そこに自分の似姿を発見したからだったということがよくわかる。

政論における江藤のヒーローは勝海舟だが、その理解はむしろたやすい。江藤の生家、江頭家は海軍一族であり、四七歳で早逝した祖父・安太郎は海軍中将だった。また祖母・米子の父である曽祖父の古賀喜三郎も元海軍将校であり、海軍予備校（現在の海城学園）の創設者としても知られている。こうしたロイヤルネイヴィーの一族に連なる者という自己イメージの原点として、旧幕臣にして明治政府の初代海軍卿である勝海舟ほどふさわしいものはない。

江藤淳にとっては、漱石も勝海舟も純化された「私」であり、彼の漱石論・勝海舟論は、いずれも『漱石と私』『海舟と私』と題されてもおかしくないものだった。その徹底ぶりはむしろ子どもっぽいほど無邪気であり、早熟な「とっつぁん坊や」という江藤のイメージが覆されたのが私にはなによりの発見だった。

平山周吉による江藤淳の評伝の最大の達成は、慶子夫人との「純愛神話」の解体である。先に述べたような理由で『妻と私』という本を私は読んでいないが、夫人の死から自裁に至る流れのなかで、この時期に書かれた同作が読者に与えた江藤夫妻の「相思相愛」のイメージはかなり根強い。だが、たとえば平山はこの本のクライマックスといってもよいこの文章に注意を喚起する。

慶子は、無言で語っていた。あらゆることにかかわらず、自分が幸せだったということを。告知せずにいたことを含めて、私のすべてを赦《ゆる》すということを。四十一年半に及ぼうとしている二人の結婚生活は、決して無意味ではなかった、いや、素晴しいものだった、ということを。

これに関連して平山は、「すべてを赦す」という言葉に暗黙のうちに含まれていたであろう、夫人とほぼ同時期に亡くなったある人物の存在に触れている。長らく愛人としていた文壇バーのホステス、「タマキ」という女性である。

江藤には漱石や勝海舟に自己同一化する側面のほかに、永井荷風や谷崎潤一郎らの系譜に連なりたい、という熱烈な願望があった。それは『妻と私』を最終章とする「私」シリーズには書き込まれなかった、彼のもう一つのアイデンティティだった。

江藤淳の信奉者のうち、上野千鶴子や大塚英志は『成熟と喪失――〝母〟の崩壊』という著作に現れているフェミニズムの観点から江藤を強く支持してきた。対して高橋源一郎や福田和也にとっての江藤淳は、おそらく荷風や潤一郎に連なるまったき自由人として見えていたはずだ。江藤淳をよく知るはずの世代にとってさえ、その像は分裂していた。

ところで、「新潮」に掲載された「妖刀の行方」と題された福田和也のエッセイは、自らの放蕩時代を回顧しながら、久世光彦がかつて福田を評して書いた、明らかに過分な「お世辞」としかいいようのない一文を引いて終わる。「元を辿れば昭和のはじめ、中也が死の床で小林秀雄に預け、小林は落ち着かないまま仏壇の裏に隠し、晩年あまり深い考えもなく江藤淳に譲り、江藤淳は怖くて、たまたまニコニコ遊びに来ていた福田和也に手渡してしまったに違いない、伝説の妖刀」があったのだという。

だが福田は、その妖刀を手放してしまった、という。

ならば、いま甦るべきなのは「江藤淳」ではなく、その「妖刀」、すなわち優れた批評のほうではないか。そのようなものが、いまも存在しうるならば。

記❖二〇一九年八月

神町トリロジーの「意外」ではない結末

阿部和重『Orga(ni)sm』

平成の日本文学を象徴する書き手の一人、阿部和重が『シンセミア』『ピストルズ』に続く神町トリロジーの最終話として二〇一六年から書き継いできた『Orga(ni)sm』が単行本化され、この長大なシリーズがようやく「完結」した。

八六〇ページを越える大作となった『Orga(ni)sm』は、過去の『シンセミア』や『ピストルズ』と比べるとかなりライトな作品である。エンターテインメント小説の手法を意識的に取り入れ、リーダビリティは格段に増したが、その結果、従来からの熱心な読者にはむしろわかりにくい作品になったかもしれない。

阿部和重は以前に、伊坂幸太郎との共作として『キャプテンサンダーボルト』というエンターテインメント小説を発表している。『Orga(ni)sm』は、いわばこのときの経験を踏まえて、阿部による「ひとり『キャプテンサンダーボルト』」として書かれたような小説である。『キャプテンサンダーボルト』は、阿部和重の読者にとってはメタフィクション感が足らず、伊坂幸太郎の読者にとっては奇妙でわかりにくい、という不幸な作品だったが、阿部がそこから得た結論が「あれなら一人でもできる」という自信だったなら、決して無意味ではなかったと私は考える。

もちろん神町《じんまち》トリロジーの最終話としての決着もきちんとつけられている。それどころか、過去に書かれて来たすべての「神町もの」を包み込むような、壮大な仕掛けがほどこされてもいる（その「仕掛け」にも、いささか落胆させられた読者はいるだろう）。

まずは外形的にこの小説のあらすじを述べておこう。

『Orga(ni)sm』の物語は、二〇一四年三月三日から四月二五日までの「五四日」の間に東京と山形県神町で起きた出来事と、それを回想する二〇四〇年の出来事からなる。後者は阿倍の過去の多くの作品と同様、それまでに語られてきた内容を〈宙吊り〉にするための仕掛けなので、まずは前者、つまり「五四日」間の出来事について語ろう。

この小説の主人公は、作者と同じ名前をもつ小説家の「阿部《あべ》和重《かずしげ》」である。「阿部和重」はウィキペディアによると「テロリズム、インターネット、ロリコンといった現代的なトピックを散りばめつつ、物語の形式性を強く意識した作品を多数発表している」作家とされており、阿部本人とのイメージの差を最小限まで切り詰めるため、家族構成やエージェントとの関係も似通っており、ご丁寧に過去の諸作品――『ニッポニアニッポン』『ミステリアスセッティング』への言及もなされている。

この「阿部和重」の東京の家に、「ラリー・タイテルバウム」という人物が転がり込んでくる。

ラリーは「『ニューズウィーク』誌の編集者」と名乗って阿部にコンタクトを取ってくるが、実はCIAのケースオフィサーであり、自らの任務のために阿部を利用しようとしている。

ではCIAは何をしようとしているのか。それは神町トリロジーの第二作『ピストルズ』で描かれた、神町で一二〇〇年もの長きにわたり「アヤメメソッド」という秘術を受け継いできた菖蒲家の動向を探ることだ。菖蒲家は神町トリロジーにおいて天皇家のメタファーとなっており、「愛の力」を解き放つその「秘術」はこの物語世界を支える最上審級である。つまり、その前提を少しでも疑えば、神町トリロジーそのものが崩壊してしまうのだ。

菖蒲家の動きは、CIAのみならず世界中の秘密組織や諜報機関によって注目されているのだが、そこに一人の狂言役者が紛れ込む。それはほかならぬ、アメリカ合衆国第四四代大統領、バラク・オバマである。この物語世界では、山形県神町は「神町特別自由市」として、日本国の新しい首都となっている。オバマは二〇一四年四月に来日し、この新首都を訪れる予定である。そのオバマを爆殺しようと、スーツケース型の小型核爆弾を持つとされる男たちが神町に潜んでいる。オバマ暗殺を回避するため、ラリーは阿部に、自分とともに神町に向かうことを求めるのだった。

かくして小説家の「阿部和重」は、「神町特別自由市」にやってくる。神町は二〇〇〇年の夏を舞台とする『シンセミア』ではまだ、古ぼけた商店街を抱えた鄙びた地方都市にすぎない。その六年後を舞台とする『ピストルズ』では、神町は時代を超越したサイケデリックな場所と化している。『シンセミア』が神町を歴史——とりわけ屈辱的な対米関係——のなかに位置づけようとする物語だとすれば、『ピストルズ』は超歴史的な物語だった。では『Orga(ni)sm』における神町は、どのような場所なのか。

オバマ大統領が神町にやってくる理由は、彼の側では明確である。かつて日本から送られたゴルフのパター（山形市の山田パター工房が製造した、と作中では紹介されている）に仕込まれた、秘密の通信文に誘い出されたのだ。もちろんその通信文を仕掛けたのは菖蒲家であり、「神町特別自由市」という場所そのものが、アヤメ・メソッドによって成立したということが本作では示唆されている。

読者がこの物語からごく自然に期待するのは、オバマがジョン・F・ケネディの役割を再演することだ。神町トリロジーを駆動させているのは陰謀論の世界観であり、神町はここではダラスの代用品でもある。

神町が「神」の町であることを証明するのは、若木山《おさなぎ》とよばれる小さな山である。オバマが神町にやってくるのは、幼き日に訪日した際に鎌倉大仏を訪れて食べた抹茶アイスクリームが美味しかった、という甘美な記憶ゆえだが、菖蒲一族はそのオバマを誘惑するために「鎌倉大仏のモデルは若木山である」という伝説を信じさせるのだ。

こうした舞台設定が済んだあとに展開するのは、「阿部和重」と「ラリー・タイテルバウム」のかけあい漫才ともいうべきものだ。単なる迷惑な闖入者にすぎないラリーの無理無体な要求に、「阿部和重」はひたすら応え続ける。もし断ったときには世界が滅亡する、というラリーの脅しに屈したかたちになるのだが、その理由は唯一つ、息子の「映記《えいき》」を守るためである。意外なことに、『Orga(ni)sm』のテーマを一つだけ挙げるとすれば、それは「子」についての小説なのである。

しかし少し考えれば、それは意外でもなんでもない。神町トリロジーの第一作『シンセミア』は、この町の真の支配者たるべく、映像的な監視体制を立ち上げた自警団の男たちが自滅する物語だった。対して第二作『ピストルズ』は、一二〇〇年も続く一子相伝の秘術を受け継ぐ重荷からの解放を求めて菖蒲家の女たちが戦う話である。これらを受けての完結編である『Orga(ni)sm』が「子」を主題化するのは、むしろ当然のことだろう。この物語のメインテーマはローリング・ストーンズの「ギミー・シェルター」だが、なかでも「War, Children, It's just a shot away」というフレーズには、きわめて重い意味がある。

ところで、神町トリロジーは時系列に沿って、直線的に第一話から第三話まで進むわけではない。二〇〇〇年夏の「神町」の物語においては語られなかった菖蒲家の存在が、二〇〇六年の「神町」においては公然のものとされている。そして二〇一四年の「神町」は、菖蒲家の秘術によって姿を変えた、何重にもフィクショナルな場である。つまり神町トリロジーは、巻が進むにつれて重層的な構造を増していく。

したがって『Orga(ni)sm』の結末――それは神町トリロジーの結末でもある――の段階で、日本国がアメリカ合衆国の五一番目の州になっていることの意味は、単純ではない。なぜならすでに「アヤメメソッド」が世界に向けて解放されてしまった以上、日本とアメリカ合衆国との力関係は、目に見えるとおりのものではないからだ。

阿部和重の小説における権力論は谷崎潤一郎に似ていると私は思う。要するにそれは、支配されることによって、逆に相手を支配するマゾヒズムの論理である。『Orga(ni)sm』において日米関係はまず、「阿部和重」と「ラリー・タイテルバウム」の関係によって戯画化される。

だが「阿部和重」は、ラリーの要求を無条件に受け入れているのではない。「阿部和重」がどんな場合でも最優先するのは、彼以上に無力であり、それゆえに絶対的な権力者でもある息子、「映記」の要求に応えることだ。親子関係をマゾヒズムに準えるのは躊躇《ためら》われるが、「阿部和重」の行動の底にはマゾヒズムと同種の原理があり、その滑稽さが『Orga(ni)sm』という荒唐無稽な物語を一流のコメディにしている。そう、『Orga(ni)sm』はなによりも神聖なる喜劇であり、だからこそ神町トリロジーの最終話にふさわしいのである。

単体の小説としての完成度でいえば、「神町トリロジー」でもっとも端正なのが『シンセミア』であり、ついで『ピストルズ』となる。阿部和重の過去の作品を知らない読者が単体で読んだなら、『Orga(ni)sm』という過剰なまでに重層的な小説を途中で放り投げたくなるかもしれない。だからこそ、息も継がせぬほどのエンターテインメント小説の手法とリーダビリティが、この作品の場合はどうしても必要だった。

いくら「神町特別自由市」となっても、神町——いうまでもなく、これは「日本」のミニチュアである——が「卑小な場所」であることに変わりはない。国際的な陰謀と立ち向かうためにラリーと阿部のコンビが立てこもるのは、過去二作でもさんざん描かれたラブホテル「ピーチ」の廃業後の建物なのだが、この小説のメインステージとしてこれほどふさわしい場所はない。『Orga(ni)sm』は、一言でいえばB級アクション・ムービーであり、その「B級」感の徹底度合いにおいて、過去二作を圧倒している。本作が果たして日本文学のどのような未来を示すものなのか、ここでは即断を避けよう。ただ一つ、その「B級」感は作家の意識的な選択による、ということが肝要なのだ。

かくして「神町」は完全に寓話化され、葬り去られた。「文學界」二〇一九年一〇月号で佐々木敦のインタビューに答えて、二度と神町を舞台にした小説を書かないと言明した阿部和重の判断を、断固として支持したい。

記❖二〇一九年九月

タブーなき世界に「愛」は可能か

ミシェル・ウエルベック『セロトニン』

閉幕したばかりの国際芸術祭「あいちトリエンナーレ二〇一九」が、昭和天皇と従軍慰安婦をモチーフとする二つの作品をめぐりソフト・テロとも形容される激しい攻撃の的となり、それらの作品を含む企画展「表現の不自由展・その後」が長期にわたり展示中止となったことは記憶に新しい。

そうしたなか、ミシェル・ウエルベックの新作『セロトニン』が翻訳されたので、文学作品におけるタブーについて改めて考えたくなった。

いうまでもなくウエルベックは作中でイスラム原理主義への嫌悪や新興宗教ラエリアン・ムーブメントへの関心、フェミニズムやエコロジーへの懐疑といったかたちで、リベラル・デモクラシーの無力を繰り返し描いてきた作家である。二〇一五年にはフランスがムスリム国家となる近未来を描いた『服従』で話題を呼んだが、ウエルベックのタブーを恐れぬ文学者としての姿勢は「あいちトリエンナーレ」事件以後の日本において検討の価値がある。

『ある島の可能性』のようなSF的仕掛けもなければ、『服従』のような奇をてらった近未来小説でもない『セロトニン』は、ウエルベックにしてはめずらしい「通常」の現代小説だ。

語り手であるフロラン＝クロード・ラブルストは、いくつもの点でウエルベックの小説における主人公の典型だ。まず彼は四〇代半ばを過ぎた中年男性である。出身階級はミドルクラスで、経済的には上昇局面にあるものの、自分の人生は失敗しつつあると考えている。パリと農村のいずれにも安住できず、イデオロギー的にはリベラル・デモクラシーに限界を感じつつも、新時代の思潮にただちに「服従」することはできずにいる。そうした諸矛盾は魅力ある女性との異性愛によってのみ救済される（と考えている）のだが、そこからも遠く隔たれている。

ラブルストは農業食糧省の契約調査員で、専門知識を生かして高給をとっている。日本人の愛人ユズと同棲しているがそろそろ別れたいと思っており、一時は彼女を殺害することも夢想するが、最終的に彼が選んだのは「蒸発」、つまりすべてを捨てて身を隠すことだった。

物語は「蒸発」後のラブルストが、過去につきあった女性たちや友人との関係を回顧するかたちで進む。とりわけ一九九九年の大晦日に知り合った女優のクレール、その後に付き合うことになる獣医科の研修生カミーユの二人は、ラブルストの人生においてひときわ重要な存在として位置づけられている。この二人との相次ぐ破局以後、彼は女性との安定した性的関係に幻想をもつことがなくなり（クレールと別れたのは彼女の裏切りによるが、カミーユとの場合はラブルスト自身に咎がある）、ユズとの冷え切った関係を続けることになるのだ。

もう一人、この小説で重要な役割を演じるのは、ラブルストが環境科学生命工学学院で学んでいた頃の親友エムリックである。エムリックはアルクール公という貴族の末裔で、「ノルマンディーのヴェルサイユ」と呼ばれているオロンド城に住み、いまはここで農業と畜産業を営んでいる。

精神的危機に陥ったラブルストは人生の最後に浮かぶ走馬灯さながらに、懐かしいこれらの恋人や親友との再会を試みるが、それはかえって残酷な事実をラブルストに伝えるだけだった。なぜなら最新型の抑鬱剤でも癒やしきれない彼の憂鬱は、たんに個人的な不幸に起因するのではなく、二一世紀に入って深刻化した新自由主義とグローバリゼーション、それに対抗して台頭した保護主義と民族主義といった西欧文明全体の没落と深く結びついているからだ。

『セロトニン』で繰り返し強調されるのは、西欧社会が再びはっきりした階級社会と化していることだ。専門技能をもち高給での転職を繰り返すラブルスト自身は金に困らないアッパー・ミドルクラスに属しており、彼の視点から他の登場人物の階級的ポジションが絶えず測定される。

この物語でもっとも悲劇的な最期を遂げるのは、公爵家の血を受け継ぐエムリックだ。エムリックには妻と二人の娘がいたが、ロンドン在住のピアニストの元に去ってしまう。城に一人残されたエムリックは酒に溺れ、最後は自由貿易により崩壊を余儀なくされた地元の農業共同体を守る戦いに立ち上がった後、自ら命を断つ。

そんなエムリックに、ラブルストはこう助言していた。君の間違いは、自分と同じ社会階級の人間、つまり貴族の女と結婚したことだ。そうではなく結婚すべきはモルダヴィア人、カメルーン人、マダガスカル人、ラオス人といった「あんまり金持ちじゃなくて、まあ貧乏と言ってもいい、ど田舎育ちの女」だ。なぜなら「彼女たちは他の世界をまったく知らない、そんな世界があるってことさえ知らないんだ」。ラブルストの日本人の愛人ユズも、広い意味ではこの範疇に属するとみなしていいだろう。

ユズはパリ日本文化会館で文化事業プログラムの「リフレッシュと現代化」のために雇われた職員だが、専門職をもつ彼からすれば彼女の仕事は「イット・ワズ・クワイト・アン・イージー・ジョブ」でしかない。ユズが象徴するのはロワー・ミドルクラスの俗物根性そのものであり、そこにウエルベックらしいゼノフォビア（外国人嫌悪）が加わる。全体にウエルベックは享楽的な南方人種には好意的で、同じ欧州でも北方人種（ことにドイツ人、イギリス人）に冷淡だが、日本人は後者のグループと植民地出身者のアマルガムのような位置付けなのだろう（彼のある作品ではアジア全体が水没したりもするが）。

ウエルベックの作品はしばしば予見的、あるいは社会問題を反映したものだと言われる。『服従』がフランスで発表された二〇一五年一月七日はイスラム原理主義者によるシャルリ・エブド襲撃事件と重なり、同年一一月にはパリ市内と郊外のサン＝ドニ地区で同時テロ事件が起きた。『服従』は西欧社会がムスリムと共存することは本当に可能なのか、それが可能だとしたら西欧がムスリムに「服従」する場合のみではないか、との問いを突きつけた。

『セロトニン』もまた、二〇一八年に始まった「黄色いベスト」と呼ばれるフランスの農村部と労働者を中心とする長期にわたる反緊縮デモを背景にしたものに読める。だがウエルベックのすべての作品を貫くのは、より中長期にわたる文明史的視座というべきだろう。中期的には、第二次世界大戦後の先進福祉国家が育んできた分厚いミドルクラス（ウエルベック自身もその一員である）はもはや解体したということ、したがって前者が理念として掲げ、ある程度まで実現してきたリベラル・デモクラシーは限界に来ている、という冷徹な時代認識だ。

しかしその後の時代を彩る新自由主義やグローバリゼーション、緊縮財政といった新たな原理は、たとえその「勝ち組」となった場合でも、人を幸福にすることはない。この時代を生き抜くため、ある場合にはイスラム原理主義やラエリアン・ムーブメントのような宗教に人は救いを求め、それらに頼れない者は抗鬱剤に頼るしかない。だからこの小説では冒頭と終盤近くで二度、この言葉が繰り返される。「それは白く、楕円形《だえんけい》で、指先で割ることのできる小粒の錠剤だ」。

こうしてみるとウエルベックの小説がフランスでベストセラーになる理由は、日本において村上春樹がベストセラーになる構図とよく似ている。ウエルベックの読者は（おそらく日本における村上春樹の読者と同様）、文化的に洗練されたアッパー・ミドルクラスではない。ロワー・ミドル、あるいは緊縮経済下ではそこからも落ちこぼれつつある者たち、つまり思想的にはやや保守的だったり、場合によってははっきりと反リベラル・デモクラシー、反フェミニズム、反エコロジーでありうるような社会階層（まさに丸山真男がファシズムの温床として名指しした階層）

にまで、ウエルベックの小説は届いている。

反転して日本の現代小説を見ると、ことに純文学とされる領域においては、リベラル・デモクラシーの原則を逸脱する作品を見出すことはきわめて難しい。エンターテインメント小説にまで視野を広げれば（ことさらに百田尚樹の名を挙げるまでもなく）保守思想といってよい価値観に染められた作品を見出すことはたやすいが、それはあくまで「保守」思想であり、牧歌的なまでに伝統的な価値観を信じている点ではリベラル・デモクラシーの作家とかわるところはない。

ウエルベックのように、自らの出自が戦後体制が生んだ福祉国家にあることを自覚しつつも、もはやそれは維持されることはない、だとしたらそこで人はいかに生きることができるのか――あえてこの言葉をもちだすなら――「愛」を可能にできるのか、ということを考え抜いた作家はほとんどいないのだ。

冒頭の話題に戻ると、「あいちトリエンナーレ二〇一九」で炙り出されたのは、いわゆる「ネトウヨ」を超えた、リベラル・デモクラシーの理念に対する膨大な不満層だった。彼らによる攻撃が明らかにしたのは、一方では、戦時下性暴力への否認というかたちでの根深い性的抑圧であり、もう一方では、昭和天皇への崇拝＝「服従」という宗教的感情だった。言うまでもなく、この二つはウエルベックがデビュー作以来、全力で取り組み、文学的表現にしようとしてきたものだ。

日本でウエルベックのような「不敬小説」が書かれないのは、文学とリベラル・デモクラシーの関係がかつてなく密着していることの証明でもあるが、それゆえに分厚く存在するその懐疑者には届かない。彼らの根深い不信を突き抜ける力をもたなければ、アートや文学として不十分な時代に私たちは生きている。

記❖二〇一九年一〇月

森の「林冠」は人類の精神をも解放する

リチャード・パワーズ『オーバーストーリー』

認知科学から情報工学まで幅広いテクノロジーの知見を作品に取り入れてきたリチャード・パワーズは、現代アメリカ文学で屈指の重要作家である。デビュー作の『舞踏会へ向かう三人の農夫』が河出書房新社から昨年（二〇一八年）に文庫化されたところに、同年に原著が出た『オーバーストーリー』も新潮社からタイミングよく翻訳された。

『オーバーストーリー』はパワーズにとって一二作目となる長編で、今年のピュリッツァー賞をフィクション部門で受賞した。不思議なタイトルは、直接的には森林における「林冠」と呼ばれる部分を意味する。樹木は構造的に、光合成を行う葉の密集した上層部（これを樹冠という）と、太い幹と枝でそれを支える下層部分とに分かれる。「林冠」とはこの前者にあたる樹冠がいくつも接してできる森林全体の上層部のことである。

科学誌の「ネイチャー」誌によれば、林冠は「地球全体の陸上バイオマスの九〇%と大気とのやりとりの場であり、ここには世界で最も存続が危惧され、ほとんど知られていない生態系が含まれている」という。パワーズのこの作品も、危機に瀕している地球生態系の持続可能性を主題にしているとひとまずは言えるだろう。

だが本書は同時に、当然ながら人間たちの物語でもある。六七〇ページを超える邦訳書の前半二〇〇ページまでは、この物語に登場する九人の人物の来歴を語ることに充てられている。それぞれを簡単に紹介すると、以下のとおり。

ニコラス・ホーエルは中西部出身の美術作家、ミミ・マーは中国系の技術者（のちに「ジュディス・ハンソン」の名で精神分析医となる）、アダム・アピチは心理学の研究者、レイとドロシーのブリンクマン夫妻は夫が知財弁護士で妻は速記者、ダグラス・パヴリチェクはベトナム帰りの元軍人、ニーレイ・メータはインド系のゲームソフト開発者で大金持ち、パトリシア・ウェスターフォードは森林学の研究者、そしてオリヴィア・ヴァンダーグリフは保険計理士をめざす女子大生だ。

パワーズはこの九人の人生を手短に――ただし幾人かについては数世代前まで家系を遡り丹念に――紹介したのちに、樹木にとってだけでなく人間にも「オーバーストーリー」が存在することを証すかのごとく、彼らの物語をまさに「林冠」のように相互に繋ぎ合わせていく。九人のうち、ニコラス（ニック）、ミミ、アダム、ダグラス、オリヴィアの五人はやがて直接に出会うことになる。

ホーエル家の男たちは何代にもわたり、家の裏にある全米で唯一の生き残りとなった一本の栗の木を守り抜く。しかも彼らは南北戦争後からベトナム戦争が泥沼化する時代まで、一月に一度（二一日と決まっていた）まったく同じ角度からこの木の写真を撮り続けており、その写真を束にしてパラパラとめくると七〇年以上の歳月が数十秒のタイムラプス動画となる。

ニックはその風習を捨てた最初の世代で、家屋敷を手放した後に「フリー・ツリー・アート」と名付けた作品をつくっており、オリヴィアはその発見者となる。オリヴィアは大学寮での自堕落な生活が招いた事故で、いったん仮死状態になるが、樹木の精霊のような存在に導かれ、「とても大事な仕事のために、死を免れた」。彼らは一九七〇年代末から活発化していったラディカルな環境保護運動に身を投じ、レッドウッド（セコイア）の森の生態系を守るため枯木伐採を止める直接行動に参加するのだ。

ミミとダグラスは、ポートランドの公園で出会う。ミミが大切にしていた松の木が行政当局によって伐採されたとき、ダグラスはそれを止めようとした。その切り株が二人を結びつける。二人もカリフォルニアに向かい、ニック、オリヴィアと出会う。

森林を守る運動のうちで、もっともラディカルなのは樹上占拠という直接行動だった。ニックとオリヴィアはその交代要員として指名され、短期間という約束でレッドウッドの巨木の上で暮らし始めるが、次の交代要員は来ない。ニックとオリヴィアは〈森林名〉として、「見張り人」「イチョウ」と名乗るようになっている。巨木の樹上で暮らすうち、二人は「林冠」によってもたらされる、信じられないほど豊かな生態系を見出すことになる。

過激な社会運動を行う者たちの心理調査をするためにレッドウッドの森にやってきたアダムも、

樹上占拠を続けるニックとオリヴィアと行動をともにすると決める。だがこの三人が長期にわたって守り続けた巨木も最後にはあっけなく切り倒され、彼らは投降を余儀なくされる。ニック、オリヴィア、ミミ、ダグラス、アダム——この五人のその後の行動は過激化し、やがて大きな悲劇を招くことになる。

ところで、彼らには実在のモデルがあるようだ。日本ではあまり知られていないが、アメリカで一九八〇年に結成された環境保護運動団体「アース・ファースト！」は一九九〇年に「レッドウッド・サマー」と呼ばれた三ヶ月にわたる抗議行動を起こしている。『オーバーストーリー』のクライマックスとなる出来事は、ここから多くを借りている。

共産主義への共感や信頼を土台とする政治運動が衰退していく一九七〇年代以後、日本でも「新しい社会運動」としてフェミニズムや障害者による当事者運動、さらには反原発をはじめとする様々な環境保護運動が進展するが、「アース・ファースト！」もそれらと並行した動きであり、一九九〇年代から二〇〇〇年代にかけて欧米で活発化する反グローバリズム運動の先駆けでもあった。

残る四人も、それぞれの仕方でニックやミミの活動を支援する。なかでも重要なのはパトリシアとニーレイだ。森林学者としては非主流派だったパトリシアは、木と木がなんらかのかたちでコミュニケーションを行っていることを実証的なデータで示すが、学会に受け入れられない。長きにわたり大学を追われ、在野研究者として不遇の日々を過ごすうち、次世代の森林学では彼女の研究が再評価されていることを知らされる。大学に戻ったパトリシアが一般向けの本として書いた『森の秘密』はベストセラーとなり、人々の樹木に対する見方を一変させるのだ。

リチャード・パワーズのデビュー作『舞踏会へ向かう三人の農夫』では、アウグスト・ザンダーの有名な写真をめぐるメディア論――まさにヴァルター・ベンヤミンの『複製技術時代の芸術』――的な議論が展開されるだけでなく、ヘンリー・フォードという「大量生産時代」の象徴ともいえる自動車王が重要なモチーフとされていた。

パワーズの魅力は、二〇世紀以後という「大量生産」と「複製技術」の時代にあって、それらを受け入れざるを得ない人間のあり方を、同作のなかのある登場人物の言葉を借りるならば、〈いかなる物も全体の複雑さから分離不可能だと考え、すべての物を驚きの源として見る〉ことによって描いたところにある。

デビュー作から世紀の三分の一が経っても、パワーズのこの姿勢に変わりはない。「林冠（オーバーストーリー）」は、それにうってつけの題材であり方法論だ。だからこの小説をたんなる文明批判や反テクノロジーの小説として受け止めてはならない。

それを示すのが、この小説でニーレイ・メータが果たす大きな役割だ。

幼少時からコンピュータに親しんでいたニーレイは、やがて『支配』というオンラインゲームを開発し、大当たりさせる。ゲーム内のヴァーチャルな世界がもつリアリティが現実の世界に追いつき、それを追い越していこうとする瀬戸際で、ニーレイはこれからも「ムーアの法則」に従って指数関数的に増大していくであろう、コンピュータの処理能力の使いみちを方向転換させると決意する。

この小説には、あたかも樹木の精霊を思わせる、神秘主義的な視点や声が繰り返しあらわれる。オリヴィアはそれらに敏感でありすぎたために不幸な運命を遂げるのだが、ニーレイはこうした精霊のカウンターパートともいうべきものとして、「超知能」を世界に解き放つのだ。

自己複製する人工生命／人工知能である「超知能」は、樹木という複雑な生命体が数十億年かけて発展してきたプロセスに追いつこうとして、学習と分岐を超高速で繰り返す。自然環境の保護とテクノロジーの累進的な発展は、パワーズの小説のなかでは対立構造にはなっていない。〈いかなる物も全体の複雑さから分離不可能だと考え、すべての物を驚きの源として見る〉という原則は、その両者に対して当てはまるのだ。

パワーズがこの言葉を登場人物に語らせた『舞踏会へ向かう三人の農夫』を書き始めたのは、二四歳のときだという。ここで描かれるのは小型の情報機器がまだ「マイクロ・コンピューター」と呼ばれていた一九八〇年代初めの世界であり、この小説では二〇世紀前半という時代を象徴するテクノロジーとして、「写真」や「自動車」というモチーフが選ばれていた。それから世紀の三分の一を経たいま——ニックの物語に「写真」への偏愛が残るとはいえ——『オーバーストーリー』はそれ以上に複雑な世界を描こうとしている。

ニーレイが依拠する「ムーアの法則」は、現実の世界でもこの間にコンピューターの集積回路の性能を数千倍から一万倍くらいまで発展させた。深層学習の人工知能プログラムがネットワークによって複雑に繋がることで、私たちの存在も樹木に近づきつつあるのかもしれない。そして小説という表現形式は、そのような時代にあってもなお世界を、そして人間を、ここまで魅力的に描きうるのだ。

パワーズが『オーバーストーリー』に込めた真のメッセージを決して読み誤ってはならない。

記❖二〇一九年一一月

寡作な天才ＳＦ作家、一七年ぶりの新作

テッド・チャン『息吹』

もしあなたが「小説」という表現形式を愛するのであれば、熱心なＳＦファンでなくとも、テッド・チャンという作家の名前を覚えておいて損はない。一九六七年生まれの中国系アメリカ人である彼は、これまでに一八作の中短編しか発表していない、きわめて寡作な「兼業作家」だが、一九九〇年以後、超絶的ともいうべき作品を書き継いできた、現代でもっともすぐれたＳＦ作家の一人である。

テッド・チャンの名が多くの人に知られるようになったのは、以前の回でも触れたとおり、二〇一六年にドゥニ・ヴィルヌーヴ監督により映画『メッセージ（原題は「Arrival」）』が公開されたことだった。この映画は二〇〇二年に原著が出たチャンの第一作品集『あなたの人生の物語』（邦訳は二〇〇三年）に収録された、いわゆる異星人とのファースト・コンタクトを描いた表題作の中編を原作としている。

世界中の各地に降り立った異星人（七つの足をもつのでヘプタポッドと呼ばれる）との意思疎通に挑む言語学者のルイーズが、この物語の主人公だ。彼女は物理学者のゲイリーとコンビを組み、人類とはまったく異なる方法で世界を認識するヘプタポッドの言語を解読しようとする。やがて彼女はヘプタポッドが人類のように因果論ではなく、いわば目的論による世界把握をしていると気づく。そのきっかけとなるのは、「フェルマーの原理」（定理、ではなく）として知られる、光学距離にかかわる原理だ。

直進する光は水面に達すると、最短時間で目的に達する角度に屈折する。この屈折によって示されるような道筋を光学距離と呼ぶが、光は必ずそれが最短となるように伝播する。なぜ、光は発せられた時点でその到達点を知っているのか？　言い換えるならば、人は自由意志によって、すでに定められた運命を変更できるのか、それとも光と同様、すべてが始まったときにすでに目的論的に定められているのか。

この問いは一七年ぶりの新刊となった第二作品集『息吹』に収められた多くの作品でも、引き続き大きなモチーフとなっている。

『息吹』には九作の中短編が収められている。第一作品集『あなたの人生の物語』にはデビュー作からその時点までに発表されていたすべての中短編八作が収められていたから、一九九〇年のデビュー作から現在までののべ一八作のうち、この二冊で一作を除くすべての作品が網羅されたことになる。

この九作のうち「予期される未来」「デイシー式全自動ナニー」「大いなる沈黙」の三作は掌編ともいうべきごく短い作品で、残りが中編（ノヴェラ）だ。テッド・チャンという作家の最大の魅力は、このノヴェラという形式で凄まじい凝縮力のある作品を書くところにある。本書に収録された中編のうち「息吹」「商人と錬金術師の門」「ソフトウェア・オブジェクトのライフサイクル」は、第一作品集収録の「地獄とは神の不在なり」と並び、ＳＦ界で最大の栄誉であるヒューゴー賞を受賞している。

とくに注目すべきは、「ソフトウェア・オブジェクトのライフサイクル」「偽りのない事実、偽りのない気持ち」「オムファロス」「不安は自由のめまい」の四作だ。以下、一作ずつその内容を紹介しつつ、論じてみたい。

「ソフトウェア・オブジェクトのライフサイクル」は、テッド・チャンにとって過去最長の中編だ（英語では三万語だという）。この作品は二〇一〇年にサブテラニアン・プレスという出版社からイラスト入りのハードカバーで出版されたことがあり、厳密に言えばこれがチャンの二番目の「著書」である。たまたま私はこれを刊行時に手に入れ、いまも持っているが、初版部数が少なかったらしく古書価がかなり高騰しているという。

この作品のテーマは人工生命だ。失業した元動物園の飼育係のアナはブルー・ガンマというITベンチャー企業で、ヴァーチャル世界で飼育されている人工生物「ディジエント」の世話をする仕事を得る。ジャックスと名付けられた彼女のディジエントは次第に知能をもつようになり、さらにはハードウェアの身体にダウンロードされて現実世界で行動することも可能になる。

だがディジエントをめぐるプラットフォーム競争は苛烈を極め、ブルー・ガンマはそのなかでシェアを失う。同社のディジエントは他のプラットフォームから切り離されたヴァーチャル世界で孤立するか、そこへの再参入を可能とする資金を同社が得るため、ディジエント同士やユーザーとの間での性交を可能とする機能追加を是認するか否かという倫理的な問いに直面する。

この問いをめぐって開発者やユーザーグループ間で交わされる議論は、第一作品集『あなたの人生の物語』に収められた「顔の美醜について——ドキュメンタリー」での美醜失認装置（カリー）をめぐるそれを思い出させる。これは容貌の美醜をめぐる情動や判断を人類——とりわけ若い世代——がどのように乗り越えるかという問いをめぐる作品だったが、新作ではそれが人工生命における性の問題へ展開された。「人生／生命（life）」はテッド・チャンのあらゆる作品に通底するテーマだが、倫理的に正しくあればテクノロジーは必ずしもそれを疎外しない、という態度においても両作は似通っている。

「偽りのない事実、偽りのない気持ち」は、現在のSNSがさらに発展し、ライフログが完全に人の人生全体をカバーしたときに起きるであろう問題を扱う。「偽りのない事実」とは歴史における客観的事実を、「偽りのない気持ち」とは人生における主観的な認識——あるいは「物語」——を意味する。人はなぜ、実際に起きた事実とは異なる記憶にしばしば固着し、それを手放すことが難しいのか。これは日本でもさかんに議論されはじめた「歴史修正主義」をめぐる問いとも通底する。過去をめぐる確執は、「事実」を共有することによって和解に至るのか、それとも、そうではない道筋がありうるのか。

ここでも「あなたの人生の物語」の主題である、因果論と目的論という二つの世界認識がせめぎ合う。「物語」はどうしても因果論の構造をもたざるをえず、そのことがときに人を苦しめ、傷つける。チャンはそこにもう一つ、世界の目的論的解釈を提示することで、人類が歴史上いくども繰り返してきた悲劇を乗り越える可能性を示唆している。

このモチーフは、ある判断の結果、分岐した後の可能世界との量子的な交信機器（プリズム）が存在したとき、人はいま以上に幸福になりうるのかを描いた「不安は自由のめまい」にも見られるし、『息吹』の冒頭に収められた「商人と錬金術師の門」に描かれた、「未来には行けるが出発点に戻ることしかできず、過去を変えることはできない（因果律を変更できない）」という制約をもったタイムマシンがある世界にも見ることができる。

「オムファロス」とはギリシャ語で「へそ」を意味する言葉で、一九世紀イギリスの自然学者フィリップ・ヘンリー・ゴスが書いた『オムファロス：地質学の結びを解く試み』で提示された、聖書の創造説と地質学を矛盾なく統一しようとする議論を土台にした作品だ。この作品世界では「二十一世紀が近づきつつあるいま」まで、このオムファロス説が堅持されている。その世界で生きる誠実な考古学者である主人公の女性は、最新の天文学が証す観測結果によって、創造説への信頼を打ち砕かれる。

ちなみに「不安は自由のめまい」と「オムファロス」はこの『息吹』のための書き下ろしであり、テッド・チャンの文字どおりの最新作とのことだ。現実世界とはことなる前提に立ちつつも、作品世界のなかでは一貫した論理が貫かれるのがチャンの作品の特徴だが、そうした架空の世界でも人は現実と同様に、あるいはそれ以上に何かを信じ、裏切られ、苦しみ、悩む。そうした作中の人物たちに作者が与える運命は、神のように超越的な立場からの一方的慈悲ではなく、数理的な論理を備えたものだ。

しかし一方でチャンは、「物語」がもつ「偽りのない気持ち」としての不合理にも寛容である。小説とは、あたかもその両者を調停する技芸であるかのように、彼はこれらの珠玉の作品を丁寧に、たっぷりと時間をかけて紡いできたのだ。

デビュー時に二〇代前半だったテッド・チャンも、すでに五〇代を迎えた。これまでに彼が書き継いできた作品の全体が、一つの大きな「人生の物語」であるように私には思える。チャンの作品は数理的で思弁的なＳＦというだけではない。因果論にとらわれがちな様々な「物語」に、目的論によって別の世界認識があり得ることを示すエクリチュール（書かれたもの）としての「小説」を対峙させ、その二つがともに人の「人生／生命（life）」には必要なのだと説くこと――テッド・チャンが自身に課したのはこの厳しい戒律だった。

第一作品集『あなたの人生の物語』が出た当時は、のちに映画化された表題作のほかに、相次いでこの世に天使が降臨するが、人はそのことで決して救われない、という無残な帰結を描いた「地獄とは神の不在なり」に震撼させられたが、テッド・チャンにはとくにキリスト教のバックグラウンドはないという。チャンが因果論に対するもう一つの原理として目的論を置くのは、神学由来ではなく、あくまでも人間理解のための補助線なのだ。
すっかり成熟した感のあるこの作家もデビューからまもなく三〇年を迎えるが、寡作ゆえ、次作が読めるのは何年後のことになるかわからない。二冊の著作集に収められた珠玉の「小説」をいくども読み返しつつ、その時を待つことにしたい。

記❖二〇一九年一二月

受け手のないところに打たれたノックを拾う

加藤典洋『大きな字で書くこと』

二〇一九年五月に七一歳で急逝した加藤典洋の遺稿集『大きな字で書くこと』を遅まきながら読んだ。二〇一七年一月から逝去直前まで岩波書店のPR誌「図書」に連載されていた文章と、二〇一八年から翌年までの一年間、「信濃毎日新聞」に連載された文章をまとめたもので、いずれもきわめて短いエッセイである。加藤典洋という、ある意味ではわかりにくい「思想家」の本質は、彼が晩年にたどり着いた一つの境地といえるこの本から逆照射することで、かなりはっきり見えてくる。やや遅いが、追悼の意味を込めて、そのことを少し書いてみたい。

加藤典洋という文芸評論家の名を知ったのは一九八〇年代前半、私が大学在学中のことだった。加藤典洋、竹田青嗣、笠井潔、そして少し系統は異なるが橋本治といった、いわゆる「全共闘世代」の書き手が相次いで著作を出す中で、その名を目にしたのが最初だったはずだ。のちに加藤の『アメリカの影――戦後再見』に大きな影響を受け、私は『極西文学論――Westway to the world』という長い文芸評論を書くことになるが、初読は一九八五年の単行本刊行当時ではなく一九九五年の講談社学術文庫版だったと思う。他の全共闘世代の書き手に比べ、当初は加藤に対してぼんやりしたイメージしか抱けずにいた（初期はとくに竹田青嗣の相方、という印象が強かった）。

そんな加藤典洋が思いのほか戦闘的な書き手であることを知ったのは、ジャック・デリダ研究者の高橋哲哉をはじめ多くの論者との間で長い論争の的となった「敗戦後論」がきっかけだった。そしてその頃から、私にとってつねに気になる書き手であり続けた。

加藤典洋は江藤淳と吉本隆明のフォロワーとしてまず印象付けられた。『アメリカの影』（とりわけその表題作）は江藤淳論のかたちを取りつつ、江藤による戦後批判（いわゆる「閉ざされた言語空間」論）のバージョンアップを企図したものだし、第二次世界大戦の「戦後」における日本の進歩派と保守派知識人とのジキルとハイド的な「人格」分離を乗り越える道筋を論じた『敗戦後論』は、加藤自身がはっきりと述べているとおり吉本隆明の「転向論」を土台にしていた。加藤が一九九一年の「湾岸戦争に反対する文学者声明」を激しく批判したことも、一九八二年の「核戦争の危機を訴える文学者の声明」に対して吉本隆明が行った批判をいやがおうにも想起させるものだった。

加藤典洋の「思想」のわかりにくさは、江藤と吉本という際立って異なる性質をもつ二人から等しく影響を受けつつ、同じくこの二人から甚大な影響を受けた先行の批評家・柄谷行人とは激しく対立するかたちで、その「思想」を展開していったところにあった。

加藤典洋の著作を読み進めていくと、やがて江藤淳や吉本隆明からの影響以上に、鶴見俊輔からの影響を顕著に感じるようになった。加藤はカナダ留学時に鶴見俊輔と出会い、帰国後は「思想の科学」の編集委員をつとめた。加藤は鶴見と近い多田道太郎とも親しく、多田の主宰する現代風俗研究会でも活動した。加藤にとって江藤と吉本は「理論」的乗り越えの対象だったのに対し、鶴見や多田は首尾一貫した「理論」によってではなく、むしろその「態度」において、加藤に大きな影響を与えた思想家だった。


加藤は『大きな字で書くこと』という本の巻末近くに収められた「入院して考えたこと」という文章（信濃毎日新聞掲載のエッセイ）で、「図書」連載のきっかけが、鶴見が七〇歳になる直前から書き始めた「もうろく帖」というノートのスタイルにあったと明かしている。若い頃の自分は、B6判の小さな原稿用紙に「小さな字」で、理論的なことを書いていた。「大きな字」で書くというスタイルはそのような書き方の対極にあるのだ、と。

この本に綴られているのは、記憶の断片のスケッチともいうべきものである。とりわけ「図書」の連載（その通しタイトルが「大きな字で書くこと」だった）では、自分自身のこと、父のこと、大学時代（から）の友人たちのこと、そして加藤にとってきわめて特別な意味をもつ詩人・中原中也のことが、それまでのどんな著作にも見られなかったほど、素朴かつ率直な言葉で語られている。

大学時代の友人たち（斎藤くん、森本さん、船曳くん）の思い出に託して語られるのは、自作を通してはあまり語られることのなかった全共闘運動の時代の空気であり、山形県巡査だった父親の話は、戦時下に「特高主任」として、小国で無教会派のキリスト者を検挙した経緯と、戦後におけるその後日談である。

この本の冒頭に置かれた「僕の本質」という詩のような文章に、「君の本質はそれ／小説を書いたこと／でもその後書きつげなかったこと」「そのことから多くのものが生まれた／死んだとある女神の身体から五穀の作物が生えでたように／しかし君の本質はそのこと……」という一節があり、本書で語られる大学時代のさりげない逸話が深い意味をもつことを示唆する。父の話は当然ながら、第二次世界大戦とその「戦後」を人はどのように切り抜けたかという生きた見本である。加藤の「思想」を解く鍵はここに出揃っている。

加藤典洋が東京大学在学中に発表した数編の作品は、当時の友人だけでなく、大学紛争に加藤とは異なるスタンスで臨んだ同世代の者（その幾人かはのちに批評家や文学研究者になる）に衝撃を与えるほど完成度が高かったという。そのことを「飢餓陣営」二〇一九年冬号の「追悼　加藤典洋」で神山睦美が書いている。手元にある加藤の著作で確認してみると、講談社文芸文庫版『日本風景論』の巻末解説で詩人の瀬尾育生が、加藤の大学時代の小説（「手帖」「男友達」「水蠟樹」）を異様なほどに長く引用しつつ詳細に論じていた。

これらの加藤の初期小説ではK、Jという二人の男と、Lという一人の女（瀬尾は「仮に」そう呼ぶとしている）の三角関係が描かれる。瀬尾による解説を読むかぎり、それらは村上春樹の『風の歌を聴け』や『ノルウェイの森』とほぼ同一のモチーフをもつ。加藤典洋が村上春樹の小説のもっとも熱心な擁護者となったことは当然であった。

「敗戦後論」をめぐる一連の論争から、加藤典洋は「戦後」を独特のスタンスから論じる思想家とみなされがちだが、むしろその起点である「敗北（敗戦）」と、それを身ぐるみ引き受けた「敗者」を主眼に文学を論じた人として位置づけるべきだと私は思う。そしてその際に加藤が採用した「ねじれ」「よごれ」といった独特の言葉遣いは、第二次世界大戦の「戦後」に対してと同様の深さで、彼自身が体験した大学紛争の「戦後処理」の問題をも指し示していたはずだ。加藤の晩年の著作『敗者の想像力』で吉本隆明と鶴見俊輔、そして大江健三郎（とりわけその「後期の仕事」）を論じた章が充実していたのも当然である。

加藤典洋が『敗戦後論』以後に張った論は十分にロジカルだと私は評価するが、それほど入り組んでいるわけでもないその論旨が、多くの者にはすんなりと理解されず、加藤自身にとっても意外なほど大きな反発を呼んだ理由の一つには、彼の「流儀」ともいえる独特のレトリックがあった。加藤の文章は勘どころで身体感覚に根ざした独特の比喩が用いられることが多く、そこに躓《つまず》いた読者は「身体的」に文意を（論旨を、ではなく）見失う。

たとえば講談社文芸文庫版『太宰と井伏――ふたつの戦後』に巻末解説を寄せている與那覇潤は、加藤典洋の「最初の印象はよくなかった」が、のちに身体論への関心から『日本という身体』を手に取り、この人は「文字や言葉にできない、微妙でもやもやした部分」のほうにこだわっているのだな、という関心をもつようになり、大きく印象が変わったと書いている。

そんな與那覇でさえ、加藤のある文章に唐突に置かれた「いわば誰も受け手のないところに打たれたノックのようなものだったのである」との比喩には戸惑いを隠さない。しかし加藤にとっては、読む人の身体感覚をふと呼び覚ますべく置かれたこの種のレトリックが、論理自体と同じくらい重要なものだったのだと、改めて思う。

『敗戦後論』の名で出た単行本には「敗戦後論」のほか、その後に書かれた「戦後後論」「語り口の問題」という論考が収められていた。このうち「語り口の問題」は、ハンナ・アーレントがもともと雑誌「ニューヨーカー」のために書いた『イェルサレムのアイヒマン』で採用した「フリッパント（はすっぱ）」な文体を取り上げていた。

アーレントのこの本は雑誌掲載時から、同胞であるシオニストを含む多方面から大きな批判を受けたが、その理由の一つとして、彼女が展開した論旨そのものより、この「フリッパント」なスタイルがあったと加藤は言う。いうまでもなく加藤典洋自身が「フリッパント」な言葉遣いを、とりわけサブカルチャーを対象とした評論などでは意識的に採用した。だが、こうした加藤の「戦略」は必ずしも功を奏しなかったように私は思う。

『敗戦後論』をめぐる論争も、表面的な激烈さのわりにさしたる成果を挙げることなく、ともに教条的な「革新派の知識人」と「保守派」との間の歴史認識におけるジキルとハイド的な分裂はいっこうに埋まらないまま、そうした状態に対するポストモダニズム的判断停止さえもが延命した（「あいちトリエンナーレ」をめぐる騒動はその直近の例といえる）。

加藤典洋の生前最後の著作は『9条入門』だった。年譜を見ると、この本の第一稿脱稿直後に小林秀雄賞の授賞式に出た際、「『新潮45』問題をめぐる他の賞の委員挨拶に嫌気、途中で退席する。その後、疲労感あり」とある。加藤はこの直後に入院し、「治療の感染症罹患」により肺炎となり、一時はもちなおすが半年後に亡くなった。「戦後」七五年を経て、加藤典洋がやりかけた仕事はまだ、その着地点を見出すことができていない。

記❖二〇二〇年一月

友の魂に呼びかける言葉

崔実『pray human』

二〇一六年の第五九回群像新人文学賞を受賞したデビュー作『ジニのパズル』以後、ながらく第二作が発表されずにいた崔実《チェ・シル》が、今年（二〇二〇年）の「群像」三月号に長編小説『pray human』を一挙掲載してカムバックした。新人作家に対してあえて「カムバック」という言い方をしたのは、この長いブランクの間に彼女がおこなった精神的恢復に向けての苦闘が、作中から痛々しいまでに伝わってくるからだ。

『ジニのパズル』の在日三世の主人公は、そのアイデンティティゆえに卑劣な仕打ちを受け、その結果としてとった突出した行動のために親友と居場所を失い、留学先での女性作家との出会いでようやく恢復の手がかりを得る。だがその主人公ジニには一種のホールデン・コールフィールド風な「無垢さ」が与えられていた。前作とほぼ同一の主題で書かれたこの第二作では、しかし、そのような「無垢さ」は決定的に失われている。

君、わたしはとうとう誰とも口を利かなくなってしまった。

不在の「君」に対する、「わたし」のこのような語りかけで物語ははじまる。「わたし」は「君」と、一〇年前に入院していた精神病棟で出会った。「君」は二二歳で、「わたし」は一七歳。デビュー作ではジニが自らの通う朝鮮総連系の学校で「革命」を決行したが、「君」もこの精神病棟で一種のレジスタンスを計画している。入院患者らをいっせいに退院（脱獄？）させ、人里離れた場所にあるアパートで共同生活するというビジョンを提示するのだ。そんな「君」に「わたし」は次第に惹かれていく。

「わたし」が精神病棟に入院した経緯は、ジニの「留学」と同様、彼女の突出した行動の結果である。キリスト教系の一貫校に入学した「わたし」は中学一年のとき学校演劇で演じた「アニー」の舞台で主役の少女の顔に唾を吐きつけてしまい、それ以後、学校での自分の居場所をなくす。「わたし」はコンビニエンス・ストアで週刊誌売り場の「卑猥な表紙の雑誌」に生卵を投げつけ、滅茶苦茶にしたこともある。だが、こうした行為をもたらすオブセッションの由来を、「わたし」はまだ誰にも話したことがない。

この物語の鍵を握るのは、精神病棟の牢名主ともいうべき安城という中年の女だ。退院計画のメンバーから外されたことを恨み、「君」に対して許しがたい仕打ちをした安城を「わたし」は憎み、「ガチャン部屋」と呼ばれる懲罰的な隔離部屋に彼女が移されるよう奸計を用いる。首尾よく安城は「ガチャン部屋」に閉じ込められるが、そのまま退院してしまった「わたし」は安城のその後を知らずに外の世界で過ごす。

八年後、すでに白血病を発症し、すっかり姿が変わっている安城は、いまだに精神病院への入退院を繰り返している。そして退院後に一冊の小説を書き、芥川賞の候補になった「わたし」を発見し連絡をしてくるのだ。

安城は「わたし」が入院中から、彼女にとって文学への憧れが命綱であることを見抜き、このような言葉を吐きさえしていた。「あんたは利口だよ。自分が物書きになれないことくらいは、ちゃんと解っているんだからねえ」。

だが再会した安城に「おう、芥川賞作家じゃない女！」と下品な笑いとともに呼びかけられた「わたし」は、そのことで、落選以来の精神的ストレスから解放される。その後、「わたし」は安城をたびたび見舞うようになり、以降は再会後の二人のやりとりが物語の本筋となる。そして「わたし」は誰にも話すことができなかった自身の物語を、安城に対してだけは打ち明けられることに気づく。

実はすでに入院中から、「この病棟でいちばんイカれている」と思う安城と自分とはよく似ているとも感じていた。なぜなら、二人とも「感情のコントロールが利かない人間」であり、「軽々と一線を越えられる性分」だったからだ。やがて「わたし」は、安城に対して、かつて親友だった由香という少女の話をしはじめる。「わたし」がその話を最初から最後までするように促す安城の役割は、『ジニのパズル』におけるアメリカの女性作家と等しく、「わたし」にとってのメンターでありカウンセラーである。

「わたし」がひたすら（それこそホールデン風に）饒舌に語りかける相手である「君」は、物語の半ばをすぎてようやく、性同一性障害と診断された男のからだをもつ女性であることが明かされる。しかし「わたし」はそのような「病気」があることを疑わしく思っている。

病名を頂戴したら、まずは一歩引くことだ。正直言って、君は正常に見える。注意をした方がいい。これから色々と病名が増えるだろうからね。連中は君を受け入れる気はない。君のほとんどを、時に笑顔で、時に真顔で区別し、差別する。

自らのアイデンティティを外から名付けられることこそが、「わたし」を病ませていること、そのことにおいて「在日」も「芥川賞作家じゃない女」も「精神障害」も「性同一性障害」も同等であり、この小説の主題はそのような差別いっさいの打破にある。

だが「君」はそうした「わたし」の忠告にとりあうことなく、「もう寝なきゃ」とかわす。そして寝る前に、もう一つだけ詩を読んでくれと「わたし」に頼むのだ。それはカリール・ジブランの『預言者』という詩の一節であり、ほぼこの物語の核心をなす。

友の魂は、まるでワインの味を覚えておくように、心の真実をきっと覚えていてくれる。その色が忘れられ、その杯がなくなったあとまでも。

人を人たらしめるのは本質主義的なアイデンティティではなく、友の存在であること、たとえ失われようと、友の魂はワインの味のように「心の真実」を記憶し続けること。その友たちの物語を、「わたし」は語り、記述するのである。

ところで、デビュー作が運よく芥川賞の候補となり、惜しくも落選した作家が、その第二作で「芥川賞作家じゃない女」を語り手に据えることは、ふつう致命的な瑕疵とみなされる。作者自身の体験がいくら投影されていようと「わたし」はもちろん架空の人物だが、「芥川賞作家じゃない女」という嘲りは現実に——あるいは妄念のなかで——作者自身を何度も襲ったことは想像に難くない。

だが「芥川賞作家じゃない女」とは、その実、この世のほとんどの女のことだ。安城を見舞いに来た「わたし」を、精神病棟の女看護師ははじめ「有名な方なのかしら？」と問うが、安城は面白がって「まさか！　無名もいいとこ、この女どん底よ！　芥川賞作家じゃない女なんだからね！」と紹介する。そしてこの言葉を受けて、女看護師はこう言うのだ。「因みに、わたしも芥川賞作家じゃない女ですよ。というか、ほとんどの人が」。この言葉に「わたし」は、ああ、なんて素敵な人だろう、と感慨をもらす。

芥川賞というシステムについて批判すること自体、いまではすっかり野暮ったいことになってしまった。芥川賞をとったからといって食えるわけでもなく、小説家としての未来を保証されるわけでもない。しかし逆に、ひとたび候補にされた者が「芥川賞をとりそこなう」ことの屈辱的な意味は、芥川賞の価値の暴落と反比例して、むしろ高まっているのかもしれない。なぜなら、いまでは芥川賞は文学的な評価によって与えられるものではなく、メディアイベントとして要請されているものだからだ。

崔実は一作目とほぼ同一のテーマを、さらに深い「どん底」で、三年半の歳月のなかで、ひとまわりもふたまわりも大きな物語として描きなおした。再生というのであれば、これこそが生まれ変わりといってもいい。自らの恢復（療養）のために書いたデビュー作はさらなる桎梏《しっこく》を彼女に与えたが、崔実はそこから見事に生還を果たした。「カムバック」と冒頭で書いたのはそのことだ。

そして崔実は作中にわざわざ「芥川賞作家じゃない女」を登場させることで、文壇的な芥川賞レースから自ら離脱することを宣言した（いくら弱体化したとはいえ、このような人物が登場する小説に芥川賞を与えるほど文壇システムは「寛容」ではない）。

崔実の書く小説はある意味で、文学に対してあまりにも無垢な信頼を寄せすぎているのかもしれない。ソフィスティケーションのまったくない、赤裸々なまでの文学への信頼は、かつて私が又吉直樹の作品に対して与えた「ド文学」という呼称さえ生易しく思えるほどの超弩級の剛速球であり、いっそアウトサイダーアートとさえ呼びたくなるほどの清々しさがある。事実、「わたし」は安城に対し、こう言いさえしたのだ。

でも真剣な話、何も変わっちゃいないよ。だって一冊しか出していないんだ。それを抜きにしても、作家ってのは狂人、社会不適合者、負け犬、珍獣、ジャンキー、無法者、へそ曲がり、浮気者、皮肉屋、貧乏人、身勝手で意地の悪い反社会主義者のようなものと安城さんは考えていると思ってた。それなのに世間からは妙に信頼されるし、無暗に尊敬される種族でもあるから、てっきり毛嫌いしているかと。それとも、いや、私が輝いてみえるかな。

こういうことを臆面もなく主人公に語らせる崔実は、果たして時代錯誤だろうか？だが居場所を失い、人間であることの最低の条件さえ失われた者が、自らの恢復をもとめて綴る物語を嗤う余裕があるならば、いっそ文学などとは無縁のまま生きたほうがよい。だから安城は、そんな「わたし」の問いかけに答えず、鼻クソを飛ばして返す。安城と「わたし」は、いわば精神的パンクとしての「同志」である。古色蒼然たるテーマを扱いつつも崔実の書く小説がふたつとも人の心を深いところで撃つのは、文学への信頼や言葉への信頼だけでなく、奥底に独立不羈《ふき》の精神を宿しているからだ。

「文学者」というレッテルは、「わたし」が「君」に忠告したとおり世間が与える「病名」の一つにすぎない。そんなものを頂戴したら「まずは一歩引くことだ」。なぜなら、これから色々と病名が増えるだろうから。それに対して何も語らずただ鼻クソを飛ばす「安城さん」を、崔実は自らにとり理想の人物の姿として描いたのかもしれない。

再起を果たした小説家・崔実の次作での飛躍が楽しみである。

記❖二〇二〇年二月

「当事者研究」が投げかける問い

長島有里枝『「僕ら」の「女の子写真」からわたしたちのガーリーフォトへ』

一九九〇年代に作品を発表し始めた、それぞれに異なる個性をもつ三人の若い女性写真家――長島有里枝、HIROMIX、蜷川実花――が二〇〇〇年度の木村伊兵衛写真賞を同時受賞したとき、彼女たちの作品にはすでにべったりと「女の子写真」というレッテルが貼られていた。この名称は当時、写真評論の分野で大きな影響力をもっていた飯沢耕太郎により積極的に使用され、雑誌の特集などを介して流布した。この用語は広範な写真表現の一潮流として世界的にも認識されている。

その「当事者」である写真家の長島有里枝が、今年（二〇二〇年）の一月に『「僕ら」の「女の子写真」から わたしたちのガーリーフォトへ』という著作を刊行した。同書の土台となっているのは、長島が武蔵大学大学院で千田有紀を指導教員として書いた修士論文だ。千田は家族社会学やジェンダー論、フェミニズム論を専門とする社会学者で、長島はそのもとで一九九〇年代以後の「第三波フェミニズム」の主要な思想家、ジュディス・バトラーの理論を学んだ。

執筆の意図を長島は次のように語る。

本書において筆者は、「女の子写真」の言説によって写真界や、さらに広義の表現の場において「他者化」された表現者の一人として、同潮流を当事者の立場から語り直したい。押し付けられた枠組みである「女の子写真」の問題点をフェミニズムの視座から批判的に眺め、一九九〇年代におこった写真潮流を自己執行カテゴリーとして再構築することを試みる。

長島は近年、文筆家としても活動しており、二〇一〇年には『背中の記憶』が三島由紀夫賞の候補にもなっている（同作は講談社エッセイ賞を受賞）。その文芸的才能はこの一作からも明らかだが、今回の本はあえて硬質な学術論文のスタイルで記述されている。

写真家としてデビューした直後の長島は、自身や家族のヌード・ポートレートを制作した。これは当時「解禁」されたばかりの「ヘアヌード」のブームに対する批評性をもつ作品だったが、それは単なるスキャンダリズムとみなされ、性別と「若さ」のみに着目した「女の子写真」という不当な名付けがなされた。本書で長島は、こうした一連の言説が生まれ、構成されたプロセスをできうる限り冷静に言語化していく。

飯沢耕太郎や山内宏泰といった論者が流布した「女の子写真」言説は、以下をそのような写真の特徴としていた。

①撮影技術や構成力の未熟さを、「感性」がカバーしている。
②自身や友人、家族を被写体とし、それらとの親密なコミュニケーションが重視されている。
③高機能コンパクトカメラを用いたスナップ写真を中心とする。

このうち②と③を象徴する言葉として、「半径五メートル以内」や「ビッグ・ミニ（コニカ製のコンパクトカメラ）」といった言葉も繰り返し用いられた。

だがこれらは、一九九〇年代に登場した多彩な女性写真家の活動を包括的に記述するには不適切であり、事実と異なる点を多く含む。長島は当時のインタビューでの自らの発言を含む雑誌記事や書籍、論文に対する徹底的な読み込みとテキスト批判によって、こうしたステレオタイプを完全に覆していった。

ところで飯沢の「女の子写真」論は、フェミニズム思想家でもあった画家の宮迫千鶴が一九八〇年代に提示した〈女性原理〉という概念に多くを依拠していた。だが男女の性差を前提とする宮迫のフェミニズム思想は、ジュディス・バトラーら第三波フェミニズムの理論によって乗り越えられていると長島は言う。ここに至る論証は精緻であり、ジェンダーバイアスに満ちた「女の子写真」言説が、長島自身を含む多くの女性の制作活動を制約した可能性さえ厳しく指摘される。

この一連の手続きから私は、一九八〇年代以後の日本の現代文学を、文学史のなかにどう記述するかという私自身にとっての問題設定を得た。長島が指摘した「女の子写真」論の問題点は、この時代のポストモダン文化全般に対する批判として受け止めうると思えたのだ。

宮迫千鶴が〈男性原理〉〈女性原理〉という概念を提出したのは、一九八四年に国文社から刊行した『《女性原理》と「写真」』著作においてだった。この本には「来たるべき〝水瓶座の時代〟のために」という副題が付いている。「水瓶座の時代」とはアメリカのヒッピー・ムーブメントの対抗文化のなかで使われた言葉で、スピリチュアルな価値がロゴス（論理）より優位に置かれる時代のことだ。いまでいうニューエイジ思想の根本的な価値観が、この時代には開花するとされた。こうした気分は一九八〇年代の初めに「感性」「感受性」「しなやか」「かろやか」といった形容詞とともに語られ、この時代をそのような意味での「女の時代」とみなす、根強いイデオロギーの土台となった。

生産よりも消費が重要な意味をもつポスト・フォーディズムの時代の到来は、雑誌「アンアン」にコム・デ・ギャルソンの服を着て出た吉本隆明の姿によって鮮やかに印象付けられた。〈女性原理〉とはまさにそうした時代を正当化する「原理」だった。その文学における表象として、村上春樹、高橋源一郎、吉本ばななの小説を挙げることは、いまでは文学史的常識といえるだろう。

事実、当時この三人の作家を並べて論じた『ハルキ、バナナ、ゲンイチロー――時代の感受性を揺らす三つのシグナル』（一九八九年）の著者・松沢正博は、同年に『超少女伝説《スーパーアイドル》――中森明菜と聖子・百恵』という本を書いている。「超少女」とは美学者の篠原資明が一九八〇年代半ばに登場した現代美術の女性アーティスト（大塚由美子、小泉雅代、寺田真由美、松井智恵、吉澤美香らの名が挙げられている）を指した批評用語だが、もともとは宮迫千鶴が竹宮惠子などの少女マンガを論じた際のキーワードから採られたものだ。こうした照応関係から、「女の子写真」論もこれらと同型の議論であることが理解できる。したがって長島有里枝が提示した議論は写真史や美術史のみならず、文学史も含めた同時代史への問い返しとして検討しなければならない。

文学と写真の歴史を比べると、たしかに女性作家の参入が遅れたのは写真のほうだった。木村伊兵衛写真賞はしばしば「写真における芥川賞」と呼ばれるが、長島ら三人の女性写真家が同時受賞するまで、その受賞者は石内都（一九七八年度）、武田花（一九八九年度）、今道子（一九九〇年度）の三人にとどまっていた。他方、女性作家の芥川賞受賞は一九三〇年代まで遡る。

しかし写真と文芸の歴史には、一定の並行関係があるといったほうが真実に近い。木村伊兵衛写真賞の対象とされるのはコマーシャルな写真ではなく、いわゆる「ファインアートとしての写真」である。日本の近代写真は、文芸におけるファインアート＝純文学と同様、リアリズムへの信頼に長く依拠してきた。そこに働いていた機制を「男性原理」と呼び、木村伊兵衛や土門拳といったビッグネームをその象徴とみなせば、飯沢の写真（史）論に近づいていく。

一九七〇年代後半以後の日本のポストモダン文学（＝ポスト全共闘世代の現代文学）が、自然主義的な文学観へのカウンターとして書き継がれたように、写真の世界でもこの時代には、『プロヴォーク』に依った森山大道や中平卓馬のような写真家が登場する。彼らは感性的・即興的なスナップと「ブレ・ボケ」を強調したプリントにより、リアリズム写真の打破を試みた。また同時期に荒木経惟は、「私写真」と自身が名付けた被写体との濃厚なコミュニケーション（というフィクションも含め）を想起させる一連の写真で文化的ヒーローとなっていく。

森山や中平、荒木はリアリズム写真への反抗的な身振りゆえに、いまなお若い写真家にとってのカリスマであり続けている。飯沢耕太郎の「女の子写真」言説は、いわば一九九〇年代の女性写真家の作品を、森山や中平、荒木の延長線上に位置づけるものだった。そして長島有里枝は、この見立てを否定したのである。

これと同様の根底的な再検討が、日本の同時代文学に対してもなされるべきだと私は考える。日本の「現代文学史」は、大江健三郎と中上健次に対するほぼ全面的な肯定を最後に、村上春樹という特異な表現者の位置づけを宙吊りにしたまま、四〇年近く更新されずにいる。今回の長島の著作は、暫定的に「ポストモダン文学」と名付けられたまま長らく放置されてきた、村上春樹以後の文学を位置づけ直す視座を与えてくれるのではないか。

長島有里枝はジュディス・バトラーの思想を学ぶことで、一九九〇年代にファッションからロックまで世界的で広く展開していた文化＝政治の潮流としての「ガーリー・ムーブメント」の重要性と、自身へのその影響を明瞭に認識したのだった。さらに長島は、男性論者（＝「僕ら」）から一方的に与えられた不当な名の代わりに、ライオット・ガール（Riot Grrrl）運動らによって再定義された後の「ガール」という語を戦略的にもちいた「ガーリーフォト」という名を、自らに与え直す。それはちょうどレベッカ・ソルニットが近著『それを、真の名で呼ぶならば――

危機の時代と言葉の力』で述べた行為に相当する。

では日本の現代文学にとっての「真の名」とはなんだろうか。

これまでも繰り返し述べてきたように、日本の現代文学は、その言葉から「政治性」、すなわち切実な当事者性から発せられる言葉が失われたために、窒息しつつある。その打破の糸口は、フェミニズムだけではないはずだ。むしろ男性作家からこそ、そのような言葉が発せられなければならない。たとえば星野智幸の「新しい政治小説」はその具体的な実践であり、国家の問題を正面から見据えた阿部和重や古川日出男の直近の作品からも、私はポストモダン文学を乗り越える意志を感じる。

村上春樹が『羊をめぐる冒険』で三島由紀夫事件を黙説法によって示し、高橋源一郎が連合赤軍を「ギャングたち」という言葉に置き換えたときが、日本のポストモダン文学の起点だった。そこで見失われたままの「政治性」を、同時代史の記憶のなかに探り当てていくべきときが来ている。

記❖二〇二〇年三月

政治と文学の乖離を示すシミュレーション小説

李龍徳『あなたが私を竹槍で突き殺す前に』

作者自身が在日コリアンであったり、在日としてのアイデンティティを題材とする小説は、日本の文学史のなかで根強い系譜をもっている。しかし二〇二〇年三月に刊行された李龍徳《イ・ヨンドク》の『あなたが私を竹槍で突き殺す前に』という作品ほど、ストレートかつ衝撃的な主題をもつ作品はない。

　排外主義者たちの夢は叶《かな》った。

印象的なこの一文で始まる同作は、日本国家のなかで在日コリアンが置かれている複雑で理不尽な状況を、救いのないディストピアとして徹底的に描いた近未来小説、あるいは一種のシミュレーション小説である。

「排外主義者たちの夢」が叶うとはどういうことか。先の文はこう続く。

特別永住者の制度は廃止された。外国人への生活保護が明確に違法となった。公的文書での通名《つうめい》使用は禁止となった。ヘイトスピーチ解消法もまた廃され、高等学校の教科書からも「従軍慰安婦」や「強制連行」や「関東大震災朝鮮人虐殺事件」などの記述が消えた。（略）世論調査によると、韓国に悪感情を持つ日本国民は九割に近い。

先に「シミュレーション小説」と表現したのは、このような極端な条件を設定された時代を背景に物語が語られるからだ。本作の冒頭では、そうした状況をもたらした政治家として三人の人物が描かれる（ただしこの三人はせいぜい書割り程度の存在感しかない）。

一人は、最後まで名前を示されないままの「日本国初の女性総理大臣」。この女性総理は「同性婚の合法化」「選択的夫婦別氏制度の実現」「労働力としての移民受け入れの推進」といったリベラルな政策を打ち出す一方で、在日コリアンに対してだけは、先のように極端なまでの排外主義の立場を取り続けている。

この女性総理のもと、野党には二人の若いリーダーがいる。一人はそれまでの極右政党を吸収合併して野党第一党となった「新党日本を愛することを問え（略称：新党日本愛）」の党首・神《かみ》島眞平《じましんぺい》、もう一人は中道左派の期待の星で東京都知事選の候補となる足立翼《あだちつばさ》である。しかし後者は選挙戦の間に、致命的なミスを犯してしまう。

女性総理が「同性婚の合法化」と「夫婦別姓」を打ち出した後の政治討論会番組で足立は、結婚生活と同様に政治も「リアリズム」であり、「日本古来の文化と伝統」が破壊されては困ると発言し、リベラル層の支持を一気に失うのだ。

こうして従来の中道左派リベラルの政治的選択肢を一つずつ潰した後でこの物語は進行する。究極のディストピア（ただし在日コリアンにとってのみ）のもと、登場人物はそれぞれ異なる道を歩んでいく。

本作の主な登場人物は以下のとおりである。

▼柏木太一《かしわぎたいち》：「日韓ハーフ」の日本人。
▼柏木葵《あおい》：太一の妻。日本人。
▼山田梨花《やまだりか》／朴梨花（パク・イファ）：在日コリアン。韓国に「帰国」する。
▼杉山宣明《すぎやまのりあき》／梁宣明（ヤン・ソンミョン）：在日コリアン。太一、梨花と共通の知人。
▼貴島斉敏《きじまなりとし》：日本人。野党・帝國復古党の下っ端党員。
▼尹信（ユン・シン）／田内信《たうちまこと》：在日コリアン。アメリカから帰国したばかり。
▼木村泰守《きむらやすもり》／金泰守（キム・テス）：在日コリアン。妹を極右に惨殺された。

このうち太一と梨花の二人のみが主人公と呼びうる重要な存在で、その他はこのシミュレーション小説における調整弁、あるいは一種のパラメーターのような役割を果たす。また太一と梨花は、「排外主義者の夢」が叶ったこのディストピアに対抗するため、きわめて対照的なアクションを起こす。

二人のうち、比較的わかりやすいのは梨花のアプローチだ。

梨花は在日コリアンの若者によって結成された「青年会」の元リーダーで、かつては太一と宣明もこの会に参加していた。二人が脱退した後、梨花も青年会リーダーの座を失うが、いまも会の重要人物でありつづけている。彼女は残ったメンバーとともに（彼女自身は一度も訪れたことのない）祖国・韓国への「帰国事業」を敢行する。

物語前半で、その「帰国」前夜が描かれる。釜山への連絡船が出る下関の安食堂で、梨花と太一、宣明の三人が、互いの「遠さ」を維持しながら別れの酒を酌み交わす。この小説で唯一、読者の感情を強くゆさぶる場面はここである。太一はこの「帰国事業」は「集団的無理心中」だと批判するが、梨花の「帰国」を止めはしない。

この「帰国事業」という言い方は、一九五〇年代に北朝鮮を理想国家と信じて在日同胞を送り出し、あまりにも悲惨な結果をもたらした歴史的事実を、当然ながら踏まえている。つまり梨花も、その無謀さを自覚している。

それでもなお、なぜ梨花は韓国に渡るのか。

このディストピアがもつ初期設定のなかで、在日コリアンが選べる選択肢は三つある。一つは「日本人」への帰化。もう一つは不公正な状態のもと在日であり続けること。そして最後の選択肢が「帰国」である。梨花の選択は楽観主義によるものではなく、消去法の結果にすぎない（ただし梨花からリーダーの座を奪った男は、やがて暗愚な楽観主義者であることがわかる）。

そして梨花には、実は別の野望がある。表向きそれは、「帰国」後の自分たちの生活をプライバシーに至るまであますところなくブログで書く、という計画として示される。だが、その文章を通じていつか「作家」になるという文学的野心こそが、梨花をこの無謀な「帰国」事業へと突き動かす真の動機なのだ。下関における別離の場面以後、梨花はブログと手紙の文面でしか登場しない。

だが太一は梨花とはまったく異なる方法で、現状を打開しようとする。

先の人物リストのうち、梁宣明はもとから太一の友人だが、尹信と金泰守、貴島斉敏の三人は、ある計画のために太一が念入りにリクルートした人物である。

登場順に述べると、もっとも年若い尹信は「暴力のエキスパート」として太一に期待されている。日本における在日コリアンの立場と、彼らをとりまく政治情勢を太一が尹信に説明するかたちで綴られる第一章で、太一の政治的立場が明確に表明される。尹信は誰にも負けない身体能力をもつが、太一が打ち勝ちたいのは排外主義者の個々人ではない。空気のように存在する「韓国に悪感情を持つ九割」の日本人、すなわち「大衆」である。

尹信の名を冠した章では「新大久保戦争」での彼の大活躍が描かれるが、それとて太一が考える「より広範で、より普遍的な目的」のささやかなプロローグにすぎない。

貴島斉敏は、復古主義者の泡沫政党・帝國復古党で使い走りをしている、少々おつむの弱い男だ。太一は貴島に巧みに近づき、時間をかけてその信頼を勝ち取ることで、自分の最終計画でもっとも重要な役割を彼に演じさせる。他のメンバーは太一の説得に応じた「共犯者」だが、貴島だけは「被害者」である。貴島は求められた役割を完璧に果たして死ぬ。

最後にリクルートされる金泰守は、実の妹を三人の排外主義の男にレイプされ殺された被害者遺族である。彼は妹が陵辱されるさまを監視カメラ越しにリアルタイムで見なければならなかった。それを使うと死者と対話ができるという、ドラッグのような習慣性をもつアプリに金泰守は惑溺する。生に対して無気力な彼こそが、太一の目的に最適な人物だった。

太一の計画は、「究極のヘイトクライム」をフレームアップし、その非道さを長期の裁判闘争で「大衆」に示し続けることだ。日本を覆い尽くす排外主義的な空気は、そのようなショック療法でのみ打ち払うことができる。直情的な梨花たちの「帰国事業」とは異なり、その計画は冷徹で理知的なものだと太一は考える。しかしその計画は首尾よく行われたにもかかわらず、最終的には完全に無意味に終わる。

他方、梨花たちの韓国での生活も早々に破綻する。下関から釜山に向かう船のなかでメンバーの一人は投身自殺し、梨花からリーダーの座を奪った男も帰国後の生活に耐えられずに逃亡する。梨花は韓国の公安当局にその男を売ることで、自身の野望を叶える最初の一歩へと踏み出す。

このように、この小説からは一切の希望が剝奪されている。一種の「シミュレーション小説」であると冒頭で書いたが、まさにこの道もダメ、あの道もダメという八方塞がりの状況をとことん暴き出し、伝えるために、この小説は書かれている（少なくとも、そのように読める）。だとすれば、この作品の真のメッセージは明白だろう。

これ以外の選択肢はどこにあるのか？　その問いを読者に突きつけることである。一九二三年の関東大震災の際に起きた朝鮮人虐殺のように、このままでは「あなた」たちはいずれ「私」を「竹槍で突き殺す」ことになる。どうかその「前」にこの小説を読んでほしい――あくまでもこれは「あなた」と呼びかけられる日本人のために書かれているのだ。

作中でもっとも感情移入しがたい人物として、最後に登場するのが太一の妻、葵である。彼女の存在が過度に寓意化されているのは、梨花との対照性を際立たせるためだ。葵は「大衆」が欲望する生贄《いけにえ》＝「シャロン・テート」の役割を演じる。だが梨花は同志を公安当局に売り渡すものの、「文学」への希望は失わない。

この小説を、太一と梨花に二人に「政治」と「文学」の役割を割り振った寓話として読むこともできるだろう。梨花から太一への（作中では最後になる）手紙には、ヴァージニア・ウルフと李梅窓（イ・メチャン）とクリスティーナ・ロセッティの詩が引用される――政治と文学が重なる場としては、散文よりも詩がふさわしいとでも言うかのように（おそらく、それは真実である）。

太一と梨花それぞれの挫折は、危機の時代に政治は政治だけでは力をもてず、政治性を欠いた文学も同様であることを教えてくれる。そのような小説が、「シミュレーション」ではなく、実質的に書かれなければならない。

記❖二〇二〇年四月

「コロナ後文学」はまだ早い

パオロ・ジョルダーノ『コロナの時代の僕ら』
テジュ・コール『苦悩の街』

当初は中国と韓国が焦点だった新型コロナウイルスの感染症は、三月に入るとヨーロッパとアメリカで爆発的に拡大した。この原稿を書いている二〇二〇年五月半ばの段階で世界の感染者は四三〇万人を超え、死者も三〇万人に達している。

パンデミックの危機が迫るとアルベール・カミュやダニエル・デフォーの『ペスト』、ジョヴァンニ・ボッカチオの『デカメロン』、アレッサンドロ・マンゾーニの『いいなづけ』などペストにまつわる文学作品への関心が集まった。こうしたなかで、コロナ下の状況に対する文学者の発言にも注目が集まった。

ヨーロッパにおける感染爆発の初期の舞台となったイタリアでは、ベストセラー小説『素数たちの孤独』の作者パオロ・ジョルダーノが二月二五日に「コリエーレ・デッラ・セーラ」紙に「混乱の中で僕らを助けてくれる感染症の数学」という記事を発表した。これはウェブで四〇〇万を超えるシェアを得るほど話題となり、その内容をもとに『コロナの時代の僕ら』という本が緊急に書き下ろされた。同書は三月二〇日に書かれた「コロナウイルスが過ぎたあとも、僕が忘れたくないこと」をあとがきに加えて日本語訳され、四月二〇日に早川書房から刊行された。

『コロナの時代の僕ら』で綴られるのは、二〇二〇年二月の終わりから三月の初めにかけての感染症下の生活である。閏月であった二月の末日、全世界での感染者数は八万五〇〇〇人に達し（それでも現在の五〇分の一に過ぎない）、パンデミックの危機は欧州にも迫っていた。ジョルダーノは大学時代に理論物理学を学んでおり、グローバル化した世界のなかで感染症が指数関数的に爆発することを初期段階で理解する。そしてソーシャル・ディスタンシングに耐えて隔離生活を続けることを読者に訴えた。

さらに二ヶ月を経た現在から見ると、ジョルダーノの予言はヨーロッパとアメリカにおいては十分すぎるほど的確だった。三月の段階ですでにイタリアの死者数は中国の死者数を超えていたが、現在は三万人を上回る。イタリアにアメリカ、イギリス、フランス、スペインを加えた上位五ヶ国だけで死者数は二〇万に及び、全世界の三分の二に相当する。

こうした予感のなかで、ジョルダーノは次のように書いていた。

今までとは違った思考をしてみるための空間を確保しなくてはいけない。三〇日前であったならば、そのあまりの素朴さに僕らも苦笑していたであろう、壮大な問いの数々を今、あえてするために。

たとえばこんな問いだ。すべてが終わった時、本当に僕たちは以前とまったく同じ世界を再現したいのだろうか。

アメリカではスティーブン・キングが三月二一日にツイッターでこんな発言を行った。

現在の状況のもとに置かれた（私自身を含む）小説家は、いま書いている作品について大いに考え直さなければならないだろう。ボブ・ディランの言葉を引くなら、〝事態は変わった(Things have Changed)〟。

致死的なウイルス感染症を描いた『ザ・スタンド』という作品もあるキングが、この問題に敏感に反応したのは当然だが、では「コロナ下」の、あるいは「コロナ後」の文学は、どのようなものになると小説家たちは考えているのだろうか。

日本の文芸誌は、東日本大震災のときと同様、今回の新型コロナウイルス感染症に対しても、驚くほど機敏に反応した。まず「文藝」が四月七日発売の夏季号で「アジアの作家は新型コロナ禍にどう向き合うのか」という小特集を緊急で組んだ。寄稿者は閻連科《イエン・レンコー》、陸秋槎《りくしゅうさ》（ともに中国）、呉明益《ごめいえき》（台湾）、イ・ラン（韓国）、ウティット・ヘーマムーン（タイ）、そして日本語で書く台湾国籍の温又柔《おんゆうじゅう》である。

感染症のパンデミック下（あるいはその後）の文学について、真正面から考えているのが閻連科の「厄災に向き合って――文学の無力、頼りなさとやるせなさ」である。彼は大前提としてまず、現在における文学の無力さを確認する。一八世紀末から一九七〇年代までは「文学が世界という舞台の上で文化の柱となり主役を演じた時代」だったが、いまやそれは「時代の周縁で脇役を演じているだけ」だ。そこに「新型肺炎がやってきた」。

思いもかけないかたちで「人類が一つの共同体である」ということを証明するなかで、医師や看護師は命をかけて疫病や死に抵抗している。だが文学は、そこでは無力である。

この時期の中国で、封鎖された武漢をアウシュビッツに喩える言説が流行った、と閻連科は書いている。そしてテオドール・アドルノのあまりにも有名な言葉を念頭に次のように問い、自らその問いに答える。

どうしていつもアウシュビッツと「詩」を一緒に関連づけるのだろうか？　それは武漢の新型コロナウイルスがすでに隠喩になっているからなのだ。

しかしそれでも閻連科は、「詩」は書かれなければならないという。そして同時に、すでに一種の特権階級となっている作家たちが、文学の無力さ、頼りなさやるせなさを安易に受け入れ、良心をごまかして創作物を生み出すならば、彼ら自身が「文学の死刑執行人」となるだろう、と警告することも忘れない。閻連科は「コロナ後」の文学を安易には信じない。

その他の作家は感染症にどのように応答したか。「新潮」は五月初旬に発売された六月号で「コロナ禍の時代の表現」という小特集を組み、金原ひとみの『アンソーシャル ディスタンス』や鴻池留衣の『最後の自粛』、『オープン・シティ』で知られるナイジェリア系アメリカ人作家テジュ・コールが四月二日に発表した、短編『苦悩の街』(木原善彦・訳)を掲載している。日本の作家たちの反応は、新型コロナウイルスの感染症がもたらした世界的な大状況に対してではなく、接触や移動を禁じられたなかで、個々が置かれている小状況に向かっている。「時代の周縁で脇役を演じている」文学者が大状況を語らないのは誠実さの証でもあるから、「コロナ禍の時代」をそのようなモチーフで描くことを責めはしない。だが閻連科がいう「文学の死刑執行人」とならないための自省を、彼らの作品から見てとることもまた難しい。

論じるに足るのはテジュ・コールの『苦悩の街』である。この作品はロックダウンを経験した欧米諸国が、コロナ後の人類文明のあり方として打ち出した「ニュー・ノーマル」についての寓話といえる。

それはこんな話だ。一人の女の旅人がレッジャーナという街にやってくる。そこは難民たちが「急ごしらえ」でつくった街で、目に見えない災厄と戦うため、直接的な接触が徹底的に避けられている。だがある住人はこう言う。「レッジャーナはね」「世界でも本当の民主主義が実践されている数少ない都市の一つです。誰がいつ、災厄に屈するのか分かりませんからね。金持ちでも貧乏人でも、教養のある人でも阿呆でも、名のある人もない人も」。

旅人はこの街で自分の母親とおぼしき天文学者や、占星術師でもある掃除人と出会い、会話を交わす。直接的な人間同士の交流がひどく乏しいこの街で、人々は料理や音楽によって「様々な境界を大胆に乗り越え」、「この耐えがたい状況をしのぐ方法を見いだした」。

この寓話は、東日本大震災後に川上弘美が書いた『神様２０１１』を連想させる。同作の先行形態である『神様』が、あたかもパラレルワールドに残されたその分身に思えるように、コロナ後に長く続くであろう社会の変容を描いた『苦悩の街』は、それ自体のなかに、レッジャーナの街を多元的に存在させている。

街の住人はみな、「元の国《オールド・カントリー》」をもっている。そこでの災厄とはウイルス禍だけではない。戦争や暴政から逃れるために母国を離れた多くの人々と同じように、この街に住む者たちはなによりもまず「難民」なのだ。この感染症が人類社会にもたらす文明論的な転換の前で、世界の多くの人をそれ以前から見舞ってきた災厄を忘れてはならないことを、ナイジェリアにルーツをもつこの作家が忘れるはずがない。

旅人は天文学者にこう問う。

女性科学者としてのあなたの考えでは、宇宙のどこかにもう一つのレッジャーナがあると思う？　このモクレンの木を含め、あらゆる点でことそっくりなレッジャーナ。新芽が炎のように真っ赤に吹いているカエデも、この午後の時間も、鳥の声も、私たち二人も、今しているこの会話も含めてそっくりだけれど、ことはただ一つだけ異なっているレッジャーナ。つまり、ちょうど今、災厄が終わりを迎えたレッジャーナが。

この問いに天文学者は正面からは答えず、「ええ、存在するはず。そう考えると心が慰められる?」と逆に問い返す。

パオロ・ジョルダーノの『コロナの時代の僕ら』と同様、テジュ・コールの『苦悩の街』でもジョン・ダンの詩から「人は島のようには生きられない」という言葉が引かれ、こう続く。「レッジャーナでは、男も女も全員が島だ。(略)常に離れたままで、触れ合うことがない。人間群島」。しかしその街は、どこかユートピアであるようにも思える。

「島のようには生きられない」というダンの詩が胸を打つのは、そもそも「人は島(孤独)である」という前提が共有されているからだ。ジョルダーノもコールも、いち早く「コロナ下の文学」を書いた多くの日本の作家たちも、みずからが他者との接触を奪われた「島」であることと、ありうべき人々との連帯との間で引き裂かれ、闇連科のいう「やるせなさ」にとらわれているように思える。

記❖二〇二〇年五月

国を失ったＨｉｒｕｋｏたちが〈産み〉だすもの

多和田葉子『星に仄めかされて』

多和田葉子の新作『星に仄めかされて』は、二〇一八年刊行の『地球にちりばめられて』の続編にあたる長編作品だ。ヨーロッパへの留学中に出身国が消滅してしまい、母語を話す人間と会えない生活が長く続いたため、滞在先である北欧諸国の言葉をおりまぜて、どの国でも通用する「パンスカ（汎スカンジナビア）」という手作り言語を話すようになった女性Ｈｉｒｕｋｏをめぐる物語で、主要な登場人物も前作と同じである。

Ｈｉｒｕｋｏの「パンスカ」に惹かれる言語学者クヌート、そのクヌートに恋をしているインド人（女性として生きる男性）のアカッシュ、「寿司職人テンゾ」を演じていたエスキモーの青年ナヌーク、その恋人でトリアーの博物館に勤めている女性ノラ。こうした多様なエスニシティとジェンダーの男女が、Ｈｉｒｕｋｏと母語を同じくするＳｕｓａｎｏｏという年齢不詳の男性と、南仏アルルで出会うまでが前作では描かれた。

本作も『地球にちりばめられて』と同様、登場人物が順に語り手となる〈輪舞形式〉をとる。

クヌートの母ニールセン夫人（彼女はナヌークに学資援助をしている）、その恋人である医師ベルマー、彼の勤める病院の患者ムンンがあらたに語り手として加わり、大団円では文字どおり全員がロンドを踊る（！）。

この物語の面白さはひとえに、登場人物の全員が共通に理解できる言葉が存在しない、というところにある（にもかかわらず、小説のすべてはもちろん「日本語」で綴られる）。母語以外にもドイツ語、フランス語などメジャーな言語を話せる者はいるし、Ｈｉｒｕｋｏの「パンスカ」も北欧で暮らす者たちにはどうやら通じている（逆に、この物語ではグローバリゼーションの象徴である英語の影は薄い）。

彼らの間で行われるコミュニケーションは、十全なものではない。不安定で、ときに不正確でさえあるにもかかわらず、人と人とは互いに理解しあえる。そのことへの新鮮な驚きと感動が、『地球にちりばめられて』『星に仄めかされて』の二作を貫いている。

新たな登場人物のなかで、ひときわ複雑な内実を抱えているのが医師ベルマーである。彼はＳｕｓａｎｏｏの失語症の治療にあたる主治医だが、クヌートの母ニールセン夫人（インガ）とは恋愛関係にある。「心の傷なんて存在しない。あるのは心臓の傷だけだ」とうそぶくベルマーは、相手のことを考えすぎる性格が行動を縛っているナヌークに、一ヶ月だけ自分と性格を交換してみないかともちかける。この取引はナヌークだけでなく、実はベルマーにも利がある。彼とニールセン夫人との恋愛関係は、このことで新局面を迎えるだろう。

永遠の難民となったＨｉｒｕｋｏが、母語とは別に「自分専用の言語」として「パンスカ」を手作りしたように、もう一人の本作ではじめて登場する人物ムンンも、彼自身の言語をもっている。

ヴィタと話す時には、自分たちで作った特別な言葉を話す。普通に話していたのでは舌が邪魔になって、すぐ次の音に移ることが難しい。それで、どもったり、つかえたりする。子供の頃に一度、「お前は蛇だ。舌が長い」と言われたことがある。（略）だから、舌が余ってしまう部分にラリラリを補足してみたら喋《しゃべ》りやすくなった。別に厳しい規則があるわけじゃない。喋りやすいように適当にラリラリを入れればいいんだ。

そんなムンンとヴィタは、たとえばこんな会話を交わす。


「皿ラを見て。」

「皿ラに書いてあるルの？」

「書いてあるル。アルルから来るル。」

「アルル？　それ、どこ？」

「ふラランす。お皿をあらラっても、あらラっても、消えないのは過去。アルルはアルル。いつまでもアルル。」

ムンンは『星に仄めかされて』という小説のなかでもっともイノセントな存在であり、ベルマーの勤める病院でヴィタとともに働いている（ということになっている）。

多和田葉子の大半の小説がそうであるように、本作にも確固たるストーリーラインはない。楽譜どおりにかっちりと演奏されるのではなく、いくつかの基本的な約束ごとだけがあり、それ以外は自由に演奏されたフリー・インプロヴィゼーションのような作品なのだ。

前作では、Ｈｉｒｕｋｏたちは欧州大陸を南下してＳｕｓａｎｏｏのいるアルルに参集した。同じ人々が本作では反転北上し、やはりＳｕｓａｎｏｏを追ってコペンハーゲンに集まる。作中におけるダイナミックな動きはそれだけで、あとは登場人物のそれぞれが口にする（異なる言語で語られた）言葉からくる連想や、ときには誤解さえ伴う過剰な言語の氾濫が、物語を思わぬ方向に転輸させる契機となる。

たとえばＨｉｒｕｋｏのコペンハーゲン行きはこんなふうに決まる。

不眠症を訴えつつも「心配しないで」と言うクヌートに対して、Ｈｉｒｕｋｏは「パンスカ」で「心配は友情の屋根」と返す。するとクヌートは「屋根は確かに大事だな。特に雨の多い国では」と言い、それに対するＨｉｒｕｋｏの答えは「Ｓｕｓａｎｏｏが心配。だからコペンハーゲンに行く」。「そうか。それじゃあ、いっしょにＳｕｓａｎｏｏのお見舞いに行こう」。心配、友情、屋根、雨、コペンハーゲン。このイメージ連関が二人をＳｕｓａｎｏｏのもとへと導くのだ。

コペンハーゲンに集まった後、彼らはＳｕｓａｎｏｏの失語症の治療過程をともに見守るが、それぞれが北に向かった真の動機は実は異なっている。アカッシュはとにかく恋するクヌートに会いたいのだし、ノラはナヌークに会いたいのである。

ＨｉｒｕｋｏとＳｕｓａｎｏｏとムンンの三人は、言語と自分の身体との間に齟齬がある、という共通点をもつ。Ｈｉｒｕｋｏとムンンは自分専用の言語を生み出すことで自らを見舞った危機に対処するが、Ｓｕｓａｎｏｏは「語らない」ことでそれを行う。アカッシュはＳｕｓａｎｏｏが「沈黙を生産している」と喝破し、「彼が黙ることで、治療する人、看護する人、交通手段を使ってお見舞いに行く人、その人たちが花を買う、などいろいろな経済活動が発生する」と指摘するが、沈黙こそＳｕｓａｎｏｏにとっての「自分専用の言語」なのである。

だから、やがて口を開いたＳｕｓａｎｏｏは、集まった者たちにこういう。

　話すことができなかったのはオレじゃない。君たちの方だ。確かに声は出していた。でも君たちは口を開け閉めしているだけで大切な話は何もしていない。

Ｓｕｓａｎｏｏの論難には一理あるが、沈黙を破った後、彼はその「大切な話」を抑圧の手段とすることで――ちょうど『羊たちの沈黙』におけるハンニバル・レクター博士のように――会話の相手に暗示をかけ、心をコントロールしようとする。だがＨｉｒｕｋｏとムンンだけは、そんなＳｕｓａｎｏｏからの攻撃対象とならない。ムンンに対してＳｕｓａｎｏｏは「ツクヨミ」とさえ呼びかける。この三人はいわば神話的であると同時に言語的な姉弟なのである。

ところで、前作『地球にちりばめられて』を読み終えたとき、私はその続編が書かれるとまったく予想しなかった。十分に小説として完結していると思えたからだ。だが、Ｈｉｒｕｋｏ（蛭子）やＳｕｓａｎｏｏ（須佐之男）といった主要な登場人物に与えられた名は、すでに失われた（とされる）国や言語の来歴を象徴しているのみならず、彼らによっていつか新たな〈国産み〉的行為がなされるのではないか、との予感をも孕む。『星に仄めかされて』の結末ではＨｉｒｕｋｏやＳｕｓａｎｏｏの一行が船で東へ向かうことが示唆されており、さらなる続編が書かれることは間違いないように思える。もちろん彼らの行く先は、かつて「中国大陸とポリネシアの間に浮かぶ列島」があった場所であろう。

ところで、多和田葉子の『星に仄めかされて』が、同時期に刊行された意外な小説作品と響き合うものがあることに気づいて驚いた。それは古川日出男の新作長編『おおきな森』である。八九〇ページを超すこのギガノベルも、とうてい単線的なストーリーには落とし込めない複雑な小説だが、何重もの言語的アクロバットが物語を推進していくという点で、多和田の『星に仄めかされて』とはよく似ている。

多和田が『星に仄めかされて』で記紀からヒルコ、スサノオ、ツクヨミの三人を召喚したのに対し、古川は『おおきな森』で、ラテン・アメリカ文学の歴史からボルヘス、マルケス、コルサタルの三人を呼び出している（防留減須、丸消須、猿＝コルタと称される）。彼らが向かうバーチャルな中国大陸に存在する「人間生産工場」で生産された「規格外」の人間は「蛭子《ひるこ》」と呼ばれており、その集落である「蛭子村」が「完璧な国家体制」に抗する運動＝チャイナタウン抵抗運動の拠点の原型とされる。

Ｈｉｒｕｋｏによる手作りの汎北欧語「パンスカ」に対応するかのように、この「おおきな」物語を構成する世界の一つ、「第一の森」で探偵役を勤める小説家の坂口安吾は、やはりバーチャルな中国大陸に建設された「第三満州国」で「出稼ぎたちのお国訛り」が融合した〝汎東北弁〟が、その公用語になっていることに気づく。

ユーラシア大陸の東端と西端の「(東）北部」を舞台に、同時期に並行して書き継がれ世に出たこの二つの小説は、「完璧な国家体制」が要請する言語体系より豊かな言葉を〈産む〉ための、実験的でありつつも十分に実りあるプロセスであるように、私には思える。

その先にある何かを「文学」と名付けることを、もう躊躇《ためら》わなくてよいのではないか。

記❖二〇二〇年六月

あとがき

四年前に『出版人・広告人』の今井照容さんから、文芸時評を書かないかと誘われた。毎月、四〇〇字詰め原稿用紙で一〇枚の文章を自由に書かせていただいたことが、積もり積もってこの本になった。この連載がなければ、同時代の文学表現に対して真剣に向かい合う姿勢を、ここまで維持することはできなかっただろう。そのような機会を与えてくれた今井さんに、心から感謝を申し上げる。

読者の限られている小さな雑誌でこつこつと書き継いできた文章が、連載も四年を過ぎてそれなりの量まで達したとき、もしかしたらこれは本になるのではないかと思った。SNS上でそう呟いたところ、すぐに手を上げてくれたのが、つかだま書房の塚田眞周博さんだった。時評にくわえて、私が二〇〇〇年代以後に書いた作家論や作品論、文庫解説などのうち、単行本未収録のものをたっぷり盛り込んだ、分厚い本をつくりませんか、との提案は望外の喜びだった。

その後の打ち合わせのなかで、これらのテキストを「文芸時評編」と「作家論編」の二冊に分けて編むことになった。初出以後、行き場のなかったテキストに、こうしたかたちで二度目の命を与えられることは、物書きとして最大の歓びである。「作家論編」まで引き続きお手間をかけることになるが、塚田さんにもひとまずここでお礼を申し述べたい。

この本の制作は、新型コロナウイルスの世界的な感染拡大のなかで進めることになった。本書の装丁を引き受けてくださったミルキィ・イソベさんとは、非常事態宣言が出る直前にお会いすることができた。この本に相応しい姿かたちを整えていただき、ミルキィさん、本当にありがとうございます（次の本もどうぞよろしくお願いします）。

ひとつの本を作り上げる過程は、多くの人との共同作業である。原稿が校正刷りになり、厳密な校閲を経てテキストが確定し、カバーや帯のデザインが決まっていく。そうやって少しずつ本の姿が立ち現れていく過程は、なんど経験してもうれしい。本文のＤＴＰ作業をしていただいた加藤保久さん（フリントヒル）、本文付物のレイアウトを担当してくださった安倍晴美さん（ステュディオ・パラボリカ）、本書の校正校閲者さんにも、心から感謝を申し上げます。

本書はこのあと、書店の方々の力を借りて読者のもとに届くことになる。

現在における「文学」の在り処を指し示してくれるのは書店である。連載中は〆切ぎりぎりまで取り上げる作品が決まらないことも多く、あちこちの街を彷徨いながら、書店の店頭で血眼になって「文学」を探しまわった。そうやって探したからこそ、出会えた作品がいくつもあった。時評の文章をここまで書き継ぐことができたのも、書店という「文学」の場があってこそだった。

この本がその場の一端に加われるのは、なによりの歓びである。

晩夏　東京・下北沢にて

仲俣暁生

❖著者

仲俣暁生（なかまた・あきお）

評論家・編集者。一九六四年、東京生まれ。「シティロード」「ワイアード日本版」「季刊・本とコンピュータ」などの編集部を経て、現在はフリーランス。著書に『ポスト・ムラカミの日本文学』（朝日出版社）、『極西文学論――Westway to the world』（晶文社）、『〈ことば〉の仕事』（原書房）、『再起動《リブート》せよと雑誌はいう』（京阪神エルマガジン社）、『失われた娯楽を求めて――極西マンガ論』（駒草出版）など、共編著に『「鍵のかかった部屋」をいかに解体するか』（バジリコ）、『グラビア美少女の時代』（集英社新書）、『ブックビジネス2.0――ウェブ時代の新しい本の生態系』（実業之日本社）、『編集進化論――editするのは誰か？』（フィルムアート社）など。

失われた「文学」を求めて【文芸時評編】

2020年10月5日　初版印刷
2020年10月20日 第1版第1刷発行

著者❖仲俣暁生

発行者❖塚田眞周博
発行所❖つかだま書房
〒176-0012 東京都練馬区豊玉北1-9-2-605（東京編集室）
TEL 090-9134-2145／FAX 03-3992-3892
E-MAIL tsukadama.shobo@gmail.com
HP http://www.tsukadama.net

印刷製本❖中央精版印刷株式会社

ISBN978-4-908624-10-0 C0095